Liebe Schülerin, lieber Schüler,
mit dem Arbeitsheft kannst du zusätzliche Übungen bearbeiten.
Die folgenden Erklärungen helfen dir, die Aufgaben und Zeichen im Arbeitsheft zu verstehen.

So ist dein Arbeitsheft aufgebaut:

Lektionen 1–20 Seiten 4–43

Vokabeln, Grammatik und Kulturwissen aus dem Schülerband kannst du im entsprechenden Kapitel deines Arbeitshefts üben.
Die 20 Kapitel begleiten die ersten 20 Lektionen des Schülerbandes.

W zeigt eine Übung zum Wortschatz dieser Lektion an.

G ist eine zusammenfassende Übung zu Grammatik, die in dieser Lektion und in früheren Lektionen vorkommt.

Außerdem gibt es in jedem Kapitel eine Übung zum Kulturwissen der Lektion und einen farbig unterlegten Text, an dem du das Verstehen lateinischer Texte und das Übersetzen ins Deutsche üben kannst.
Geh bei der Textarbeit immer so vor:

- Lies zunächst den lateinischen Text ganz und in Ruhe durch.
- Bearbeite dann den Arbeitsauftrag.
- Übersetze am Ende den Text schriftlich in deinem Heft.

Seiten 44–45

Auf diesen Seiten findest du Erklärungen zum Prüfungsteil und eine Tabelle für deine Selbstauswertung.
Zu jeder Lektion kannst du an einem Selbsttest deinen Kenntnisstand überprüfen.
Jeder Selbsttest umfasst je eine Testaufgabe zu den Bereichen Wortschatz, Grammatik, Text und Kultur.

Selbsttests 1–20 Seiten 46–56

Die 20 Testkapitel begleiten die 20 Lektionen des Schülerbandes und die 20 Kapitel des Arbeitshefts.
Eine Übersicht über die Themen steht auf der vorderen inneren Umschlagklappe.

Lösungen zu den Lektionen und Selbsttests 1–20 Lösungsheft

Im Lösungsheft findest du Lösungen und Erklärungen zum Übungsteil und zu den Selbsttests.
Mit dem Lösungsheft kannst du selbst, können deine Eltern oder Mitschülerinnen und Mitschüler deine Ergebnisse kontrollieren.

W 1 Schreibe die lateinischen Vokabeln auf.

A

C

E

G

B
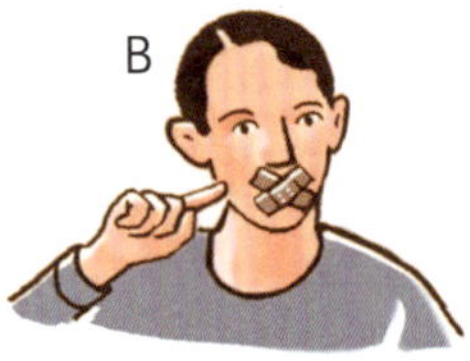
D

F

A ______________________ E ______________________

B ______________________ F ______________________

C ______________________ G ______________________

D ______________________

G 2 Ordne den lateinischen Grammatik-Fachbegriffen die deutschen Beschreibungen zu.

Satzgegenstand – Satzaussage – Grundform – männlich – Tätigkeitswort – Hauptwort – sächlich – Einzahl – Geschlecht – weiblich

Substantiv ______________________ Genus ______________________

Subjekt ______________________ Maskulinum ______________________

Singular ______________________ Verb ______________________

Neutrum ______________________ Prädikat ______________________

Infinitiv ______________________ Femininum ______________________

3 Beantworte und begründe mit Stellen und Zeilenangabe aus dem lateinischen Text:

Wer vermisst seinen Esel? ______________________

Taucht der Esel wieder auf? ______________________

Der Esel ist weg!

Ubi asinus est? Quintus stat et circumspectat[1]. Clamat. Asinus non venit. Etiam canis tacet. Subito canis latrat[2]. Quintus gaudet[3], nam[4] silentium non iam est et asinus venit.

1) **circumspectat:** (er, sie, es) blickt sich suchend um
2) **lātrat:** (er, sie, es) bellt 3) **gaudet:** (er, sie, es) freut sich
4) **nam:** denn

4 Entscheide, ob diese Aussagen über die lateinische Sprache und Grammatik stimmen.

	stimmt	*stimmt nicht*
1. Im Lateinischen gibt es keinen Artikel.	☐	☐
2. Die Person des Verbs erkennt man am Ende der Form.	☐	☐
3. Im Lateinischen werden alle Wörter kleingeschrieben.	☐	☐
4. Der Nom. Sg. eines Substantivs endet auf *-t*.	☐	☐
5. Das Infinitiv-Zeichen ist *-re*.	☐	☐
6. Ein Substantiv mit der Endung *-a* ist Neutrum.	☐	☐
7. Ein Substantiv als Subjekt steht im Nom. Sg.	☐	☐

5 Die *villa* in der Stadt hatte ähnliche Räume wie die *villa* auf dem Land.
Zeichne Folgendes mit den passenden Farben ein:

- im *Atrium* ein Fußbodenmosaik
- im *Tablinum* Korbstühle
- im *Triklinium* Liegen
- im *Peristyl* Pflanzen

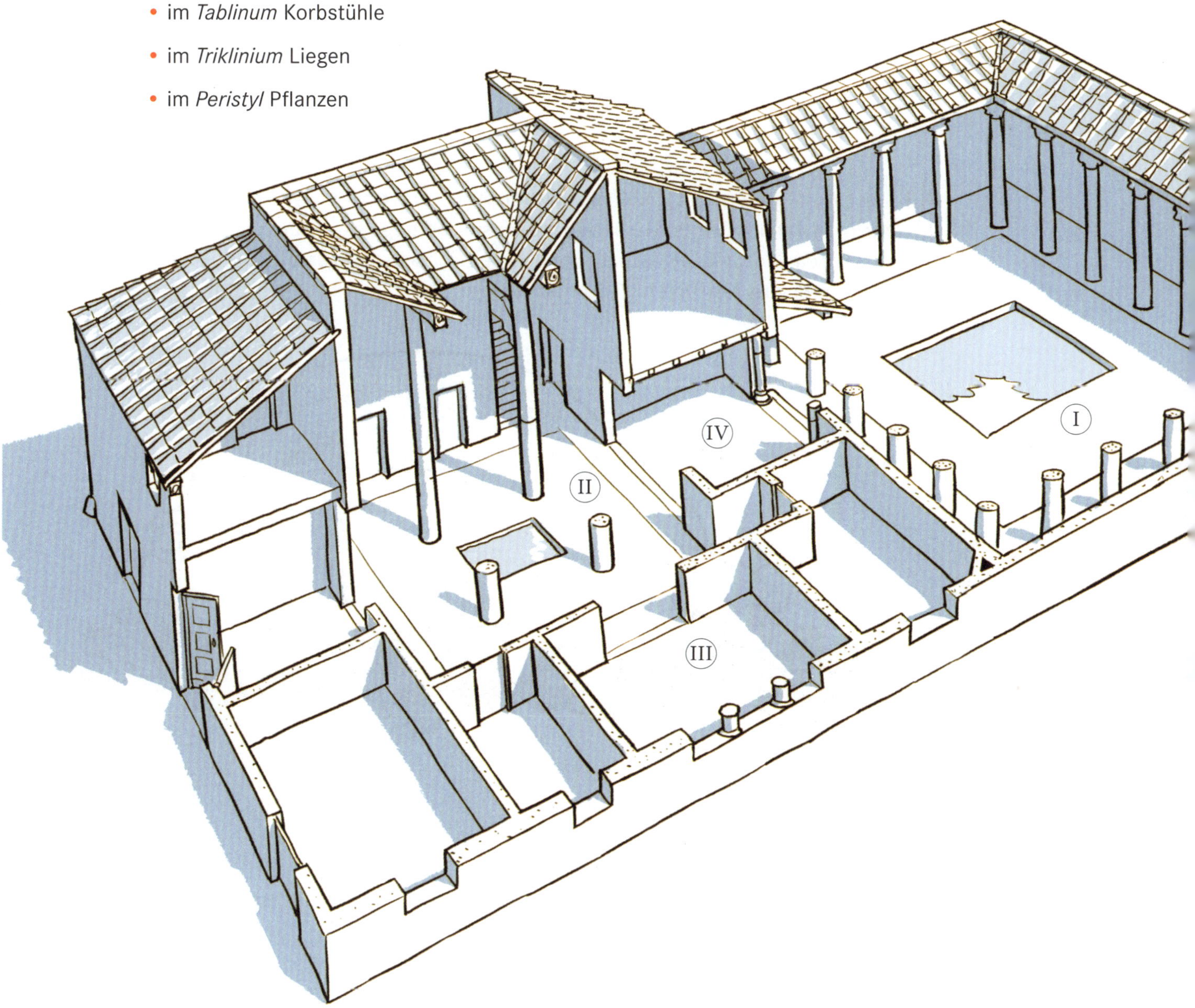

W 1 Wähle die richtige deutsche Bedeutung aus und trage sie zur lateinischen Vokabel ein. Die markierten Buchstaben ergeben richtig sortiert eine weitere lateinische Vokabel. Notiere sie und ihre deutsche Bedeutung.

siche**r** – Freun**d** – sich nä**h**ern – er**s**cheinen – **u**nd – e**i**len – **l**achen – sch**o**n – herbeitr**a**gen – jet**z**t – schnel**l** – d**e**nn – Skla**v**e – von Weite**m** – dor**t**

ridere	______	ibi	______
cito	______	apparere	______
nam	______	atque	______
apportare	______	certe	______

Lösungswörter: _ _ _ _ _ _ _ _ ______

G 2 **a** Unterstreiche alle Substantive, die im Plural stehen. Markiere ihr Plural-Zeichen farbig.

amicae – amicus – servi – silentium – dona – equi – villae – matrona – asini – familia

b Unterstreiche alle Verben, die im Plural stehen. Markiere ihr Plural-Zeichen farbig.

clamant – cessat – gaudent – salutant – apparet – veniunt – ridet – properat – timent – sunt

W 3 Das „Wort-Schwein" ist gefüllt mit unveränderlichen Wörtern, waagrecht und senkrecht, rückwärts und vorwärts zu lesen. Markiere sie und trage sie zu ihren unten stehenden deutschen Bedeutungen dazu. Die restlichen Buchstaben ergeben der Reihenfolge nach die Namen von drei bekannten Wildschweinessern.

auch, sogar	______	und, und auch	______	nun	______
von Weitem	______	plötzlich	______	aber	______
denn	______	hier	______	schon	______
dort	______	da, dann	______		

Wildschweinesser: ______

G **4** Setze eine in der Form und Bedeutung passende Verbform ein und übersetze die Sätze.

rident – tacent – properat – apparent – clamat – placent

1. Syrus servus ____________ ____________________
2. Quintus et Flavia ____________ ____________________
3. Equi ____________ ____________________
4. Dona ____________ ____________________
5. Matrona ____________ ____________________
6. Servae ____________ ____________________

5 Trage die Lösungen ein. Die gekennzeichneten Buchstaben ergeben als Lösungswort einen römischen Vornamen: _ _ _ _ _ _

Die Tochter von Gaius Iulius Caesar heißt _ [ ] _ _ _

Der Beiname von Gaius Iulius Caesar ist _ _ _ [ ] _ _

Das M im Namen M. Tullius Cicero bedeutet _ _ _ [ ] _ _

Ciceros Tochter heißt _ _ [ ] _ _ _

Hätte sie eine ältere Schwester, hieße diese _ _ _ _ _ _ _ _ [ ] _ _

Ein Sklave aus Syrien heißt oft _ _ _ [ ] _

6 Beantworte und begründe mit Stellen und Zeilenangabe aus dem lateinischen Text:

Warum ist es Galla langweilig? ____________________

Quis est? (Z. 6) Wie lautet die Antwort? ____________________

Warten ist langweilig!

Galla serva in horto[1] est. Sub arbore[2] stat et exspectat, sed amici non veniunt. Ubi servi sunt? Cur servae apparere cessant? Galla non ridet, nam exspectare non placet. Subito aliquis[3] clamat: „Galla! Galla!“ Quis est? Certe amici sunt. Nunc Galla ridet, nam servae appropinquant.

1) **in hortō**: im Garten 2) **sub arbore**: unter einem Baum
3) **aliquis**: jemand

G 1 Trage die Verbformen bei ihrer Person ein.

ridemus | rogo | estis | iubent | vocatis | gaudeo | navigamus | venit | respondet | sum | timetis | audiunt | clamat | es | properant | salutas | sumus | taces

1. Sg.: ____________________
2. Sg.: ____________________
3. Sg.: ____________________
1. Pl.: ____________________
2. Pl.: ____________________
3. Pl.: ____________________

G 2 In den Sätzen fehlt ein Substantiv als Subjekt oder als Akkusativ-Objekt. Benenne die bereits vorhandenen Satzglieder und stelle so fest, was fehlt. Füge dann Subjekt oder Objekt passend ein.

eques – amicam – equum – amicas – familia – provinciam – amici – periculum

1. Marcus ____________ exspectat.
2. ____________ equos audiunt.
3. Nuntium ____________ apportat.
4. ____________ exspectat.
5. Serva ____________ timet.
6. ____________ administro.
7. Flavia ____________ rogat.
8. Eques ____________ vocat.

3 Riesiges Römisches Reich! Ergänze die Namen der gesuchten Städte.

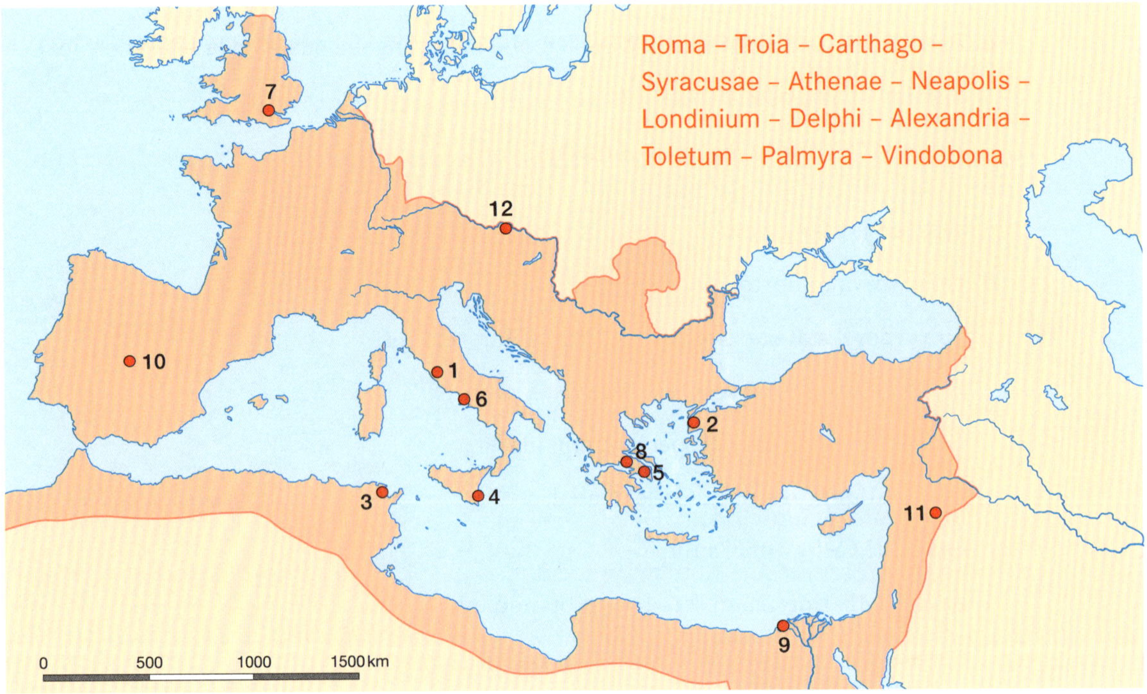

1 ____________ 5 ____________ 9 ____________
2 ____________ 6 ____________ 10 ____________
3 ____________ 7 ____________ 11 ____________
4 ____________ 8 ____________ 12 ____________

W 4 Stelle die Wörter zu sieben sinnvollen Kurzsätzen zusammen und übersetze sie.

periculum provinciam donum amicum servos lacrimas nuntium	+	vocat tenes rogant administrat apportatis salutamus timeo

1. ______________________________
2. ______________________________
3. ______________________________
4. ______________________________
5. ______________________________
6. ______________________________
7. ______________________________

5 Vergleiche die Übersetzung mit dem lateinischen Text und korrigiere die Fehler.

Auf nach Rom!	*Übersetzung mit Fehlern*
Ecce, eques appropinquat et	Schau, der Reiter nähert sich und
M. Flavium Lepidum atque familiam salutat:	grüßt M. Flavium Lepidum und die Familie:
„Salvete!“ Iam equi stant.	„Seid gegrüßt!“ Dann die Pferde stehen.
M. Flavius Lepidus equitem[1] salutat et rogat:	M. Flavius Lepidus grüßt den Reiter:
„Salve etiam tu! Quid est?	„Sei auch du gegrüßt! Wer bist du?
Quid apportas?“	Was bringst du?“
Eques respondet: „Cur non properatis?	Der Reiter antwortet: „Warum beeilst du dich
Imperator te, Marce, exspectat.“	nicht? Der Kaiser erwartet dich, Marce.“
M. Flavius Lepidus: „Ecce, iam Romam	M. Flavius Lepidus: „Schau, schon nach Rom
venimus.“	wir kommen.“
Tum eques equum incitat[2];	Jetzt treibt der Reiter die Pferde an; das
equus statim paret et Romam properat.	Pferd gehorcht sofort und sie eilen nach Rom.

1) **equitem**: *Akk. Sg. von* eques 2) **incitāre**: antreiben

G 1 Wähle einen „Besitzer“ aus, setze das Substantiv in den Genitiv zu dem „Besitz“ und übersetze.

dea – amici – nuntius – homines – amicae – imperator

1. equus ______________________ ______________________
2. canes ______________________ ______________________
3. dona ______________________ ______________________
4. simulacrum ______________________ ______________________
5. verba ______________________ ______________________
6. clamor ______________________ ______________________

G 2 Die Schlange hat Verbformen gefressen. Trenne sie voneinander ab, schreibe sie heraus und übersetze sie.

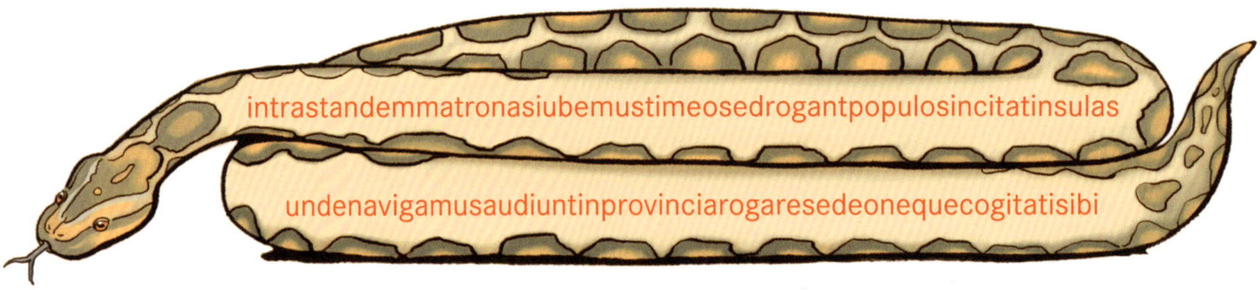

1. ______________________ 6. ______________________
2. ______________________ 7. ______________________
3. ______________________ 8. ______________________
4. ______________________ 9. ______________________
5. ______________________ 10. ______________________

3 Schreibe aus dem Text heraus, welche Personen und Personengruppen vorkommen:

____

Einer sieht nichts im Circus

„Quis ibi sedet?“ – „Ibi senatores et amici senatorum sedent. Etiam consulem video. Nunc pompa[1] venit.“ – „Quid apportant?“ – „Simulacra deorum et dearum apportant.“ – „Cur homines nunc tacent?“ – „Verba imperatoris audiunt.“ – „Cur populus clamat?“ – „Imperator signum spectaculi dat.“ – „Quis nunc intrat?“ – „Nunc nuntius intrat. Imperatorem salutat. Imperator ridet, certe verba nuntii placent.“ – „Quid audis?“ – „Verba nuntii non audio, sed clamorem hominum. Et tu, hic sedes et me rogas. Cur tu non stas?“

1) **pompa, -ae** f: Festzug

W 4 Trage die deutschen Bedeutungen in die Kästchen des Kreuzworträtsels ein. Die Buchstaben in den umrahmten Kästchen ergeben – richtig sortiert – das Lösungswort.

Senkrecht:
1. populus
2. dare
3. incitare
5. clamor
6. diu
7. deus
8. homo

Waagrecht:
4. cogitare
10. regina
11. intrare
14. amor
15. videre

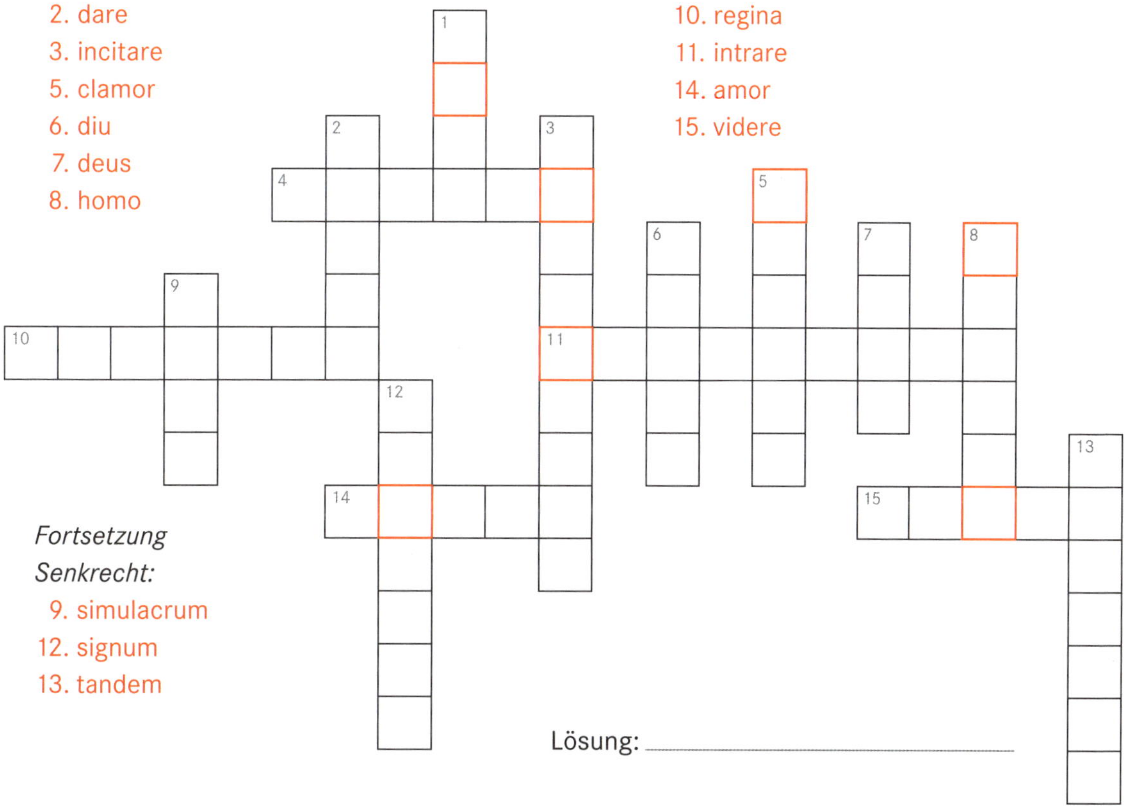

Fortsetzung Senkrecht:
9. simulacrum
12. signum
13. tandem

Lösung: ______________________

5 Hier folgt ein Ausschnitt aus einer „Live-Reportage“ über ein Wagenrennen. Aber der „Reporter“ hat offenbar keine Ahnung! Unterstreiche seine Fehler und berichtige in Stichworten.

„Der *circus* ist voll besetzt bis auf den letzten Platz, 175 000 Zuschauer sind gekommen, um das heutige Rennen mitzuerleben. Ich sehe mehrere Senatoren; sie tragen zur Feier des Tages ihre schönste *palla*. Nun kommt die *pompa*, ein beeindruckender Festzug; man zeigt heute besonders viele Bilder von Kaisern. Doch jetzt steht der Kaiser auf, um seine Rede zu halten. Alle hören seinen Begrüßungsworten aufmerksam zu. Jetzt wird das rote Tuch auf die Startbahn geworfen. Und schon kommen die Wagenlenker aus ihren Boxen. Sie werden nun zehn Mal die *spina* umrunden. Da der *circus* selbst 360 m lang ist, ist das eine recht lange Strecke. Und schon dreht der erste Wagen um die Wendemarke. Es wird ein spannendes Rennen werden!“

G 1 Jeweils eine der beiden Substantivformen steht im Dativ. Markiere sie.

avo – homo	equi – nuntiis	consuli – asini
iudici – periculi	deo – dea	equus – equitibus
amicae – dona	patri – populi	furis – verbis
senatoribus – servus	hominis – servis	fugae – clamores

2 Lies den Text und kreuze an, ob die Aussagen zum Text stimmen:

	stimmt	*stimmt nicht*
1. Galla ist traurig.	☐	☐
2. Die Herrin schimpft mit ihr.	☐	☐
3. Die Sklaven haben Angst vor dem Herrn.	☐	☐
4. Galla hat Zuckerplätzchen gestohlen.	☐	☐

Zucker-Dieb

Galla serva ante coquinam[1] stat et lacrimas dat. Dum servi et servae accurrunt, etiam Marcus Flavius Lepidus appropinquat. Rogat: „Quid est? Cur lacrimas das?“ Galla respondet: „Hic fures sunt, domine! Crustula[2] quaero. Properare debeo, nam domina me exspectat. Neque crustula[2] hic sunt!“ Flavius Lepidus: „Ubi crustula[2] sunt? Quis furem nominat[3]?“ Servi valde timent, sed domino non parent. Subito canis Hylax apparet et crustula[2] apportat.

1) **coquīna, -ae** f: Küche 2) **crūstulum, -ī** n: Zuckerplätzchen
3) **nomināre**: nennen, angeben

W 3 Beim Übersetzen sind Vokabelfehler passiert! Streiche sie an und korrigiere sie.

1. Servus dominum quaerit. – Der Sklave sucht das Geschenk.
2. Dum epistulam legit, tacet. – Dann liest er den Brief, er schweigt.
3. Procul eques apparet. – In der Ferne erscheint ein Pferd.
4. Iam amici accurrunt – Denn die Freunde eilen herbei.
5. Ibi asinus iacet, dormit. – Dort schweigt der Esel, er schläft.

G 4 Nenne die Infinitive zu diesen Verbformen und trage sie in ihre Konjugationsklasse ein.

intrat – videmus – cogito – luditis – venis – quaeris – solent – plaudo – tacetis – decedunt – appropinquant – dormiunt – audimus – paro – pares – clamas

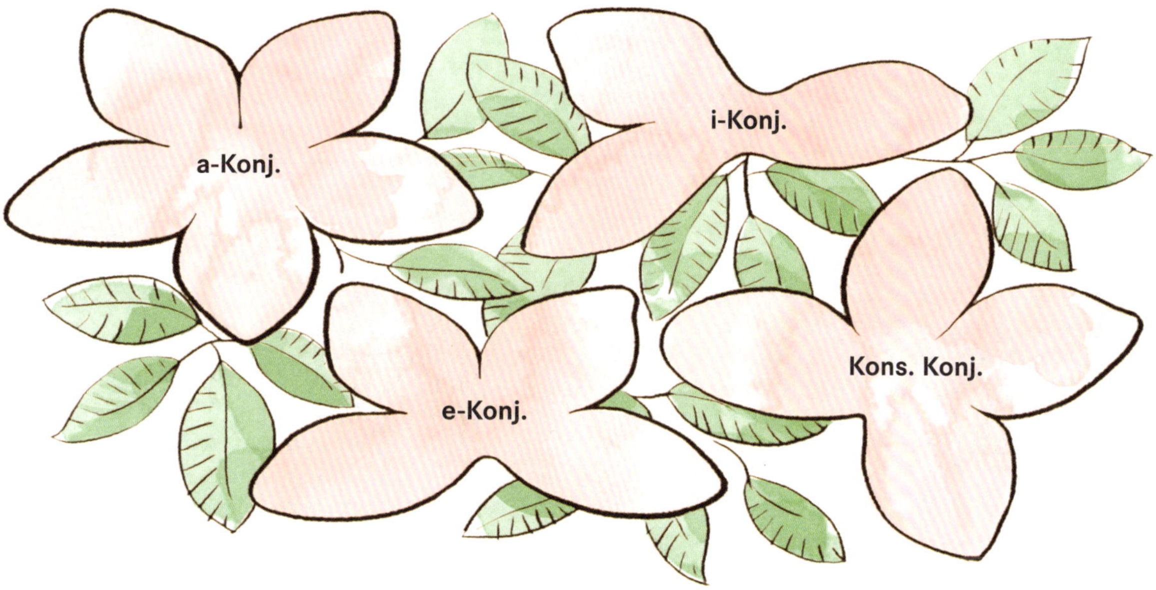

5 Forum-Quiz

Kreuze die richtige Antwort an. Das Lösungswort ist der Name des runden Platzes auf dem Forum, auf dem sich die Römer ursprünglich versammelten: _ _ _ _ _ _ _ _

1 In der ***curia***		
verkaufen Händler Gemüse.	☐	*R*
finden die Versammlungen des Senats statt.	☐	*C*
werden Kranke behandelt.	☐	*P*

2 Die ***rostra*** ist		
die Rednertribüne.	☐	*O*
das Rathaus.	☐	*I*
ein uralter Tempel.	☐	*R*

3 Der **Tempel der Concordia** ist der Tempel der Göttin,		
die das friedliche Zusammenleben schützt.	☐	*M*
bei der die Senatoren sich Rat holen.	☐	*T*
zu der die Sport treibenden Römer beten.	☐	*A*

4 Im Unterbau des **Saturn-Tempels** wird		
der Staatsschatz aufbewahrt.	☐	*I*
das heilige Feuer gehütet.	☐	*Z*
Wein gelagert.	☐	*O*

5 In den ***tabernae*** vor der ***basilica Aemilia***		
kann man sich ausruhen.	☐	*N*
kann man einkaufen.	☐	*T*
kann man schwimmen.	☐	*A*

6 Der **Vesta-Tempel**		
hat zwei riesige Säulen.	☐	*P*
ist Caesar geweiht.	☐	*D*
ist rund.	☐	*I*

7 Im ***tabularium***		
lagern Senatsbeschlüsse und Gesetzestexte.	☐	*U*
wird der römische Staatsschatz aufbewahrt.	☐	*I*
können die Römer Bücher ausleihen.	☐	*O*

8 In der ***basilica Iulia***		
finden Wettkämpfe statt.	☐	*P*
wohnen die Vestalinnen.	☐	*O*
finden Gerichtsprozesse statt.	☐	*M*

G 1 Suche Verbformen heraus, die im Imperativ Singular und Plural stehen, und trage sie mit Übersetzung in die Sprechblasen ein.

defendite – exspecta – quaere – nauta – valde – videte – certe – iudici – verba – multi – pugnate – unde – responde – paretis – audi – sedes

W 2 Stelle aus den deutschen Silben die Bedeutungen der lateinischen Vokabeln zusammen. Für ein lateinisches Wort fehlt die deutsche Bedeutung. Nenne sie.

all – be – de – di – Er – fe – fen – füh – gen – gen – güns – Hil – käm – mann – Mut – pfen – ren – rig – See – sie – stür – tei – ter – tig – trau – über – ver – weg – Waf – zen

defendere	______	maestus	______
ubique	______	abducere	______
mater	______	secundus	______
pugnare	______	terra	______
arma	______	superare	______
praecipitare	______	solus	______
nauta	______	auxilium	______

G 3 Sortiere die Wörter in der Grundform in den richtigen Kasten ein.

oratoris – novis – magnis – dicitis – navis – pugnatis – armis – amoris – laetis – navigatis – matris – multis – clamoris – clamatis – aliis – signis – secundis

Substantive	Adjektive	Verben

4 Rund ums Mittelmeer

Trage die in der Karte fehlenden Namen der römischen Provinzen ein. Dein Schulbuch oder ein historischer Atlas kann dir dabei weiterhelfen.

Aegyptus – Africa – Asia – Dalmatia – Gallia Narbonensis –
Hispania – Iudaea – Macedonia – Mauretania – Syria

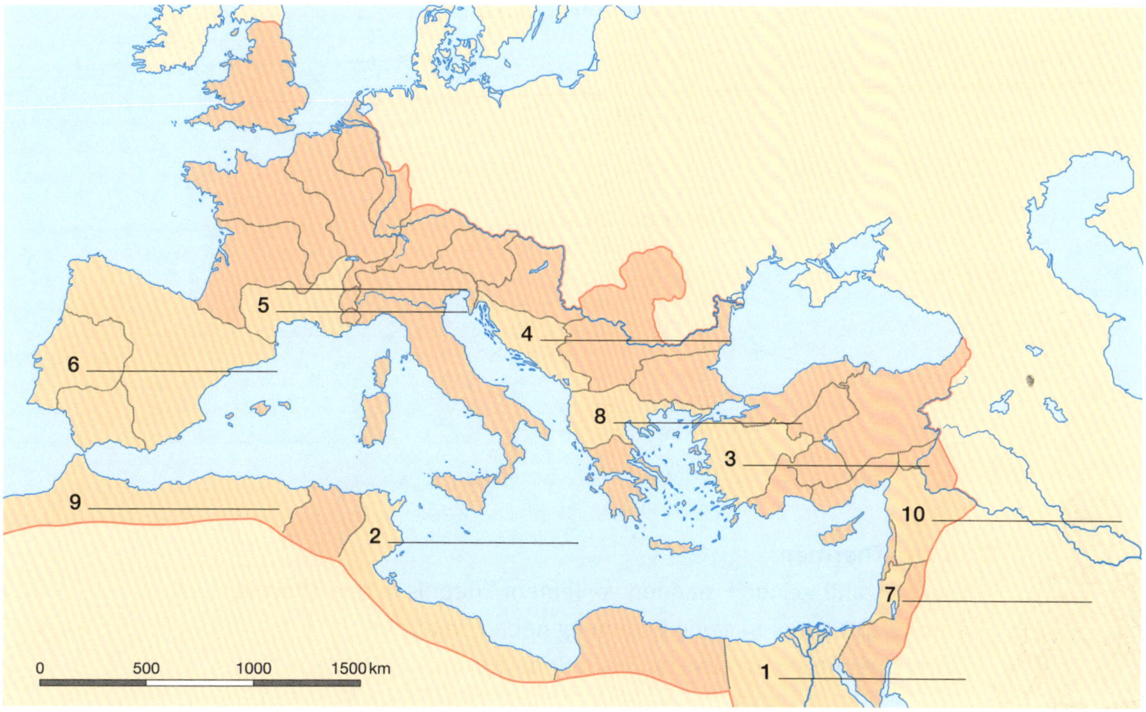

5 Übersetze den Text zunächst mündlich.
Wende bei den Sätzen in Z. 3, 6 und 8–9 wie im Beispiel in Z. 1 die Pendelmethode an.

Piratenüberfall

Piratae ad insulam Cretam navigant.

Laeti non sunt, nam sol ardet neque ventus secundus est.

Subito pirata clamat: „Non procul navem video."

Statim magister[1] piratarum: „Audite, amici, appropinquate navi! Properate!"

Dum magister[1] nautas incitat, piratae gaudent et praedam[2] cogitant.

Tandem navi appropinquant, tum in navem transiliunt[3].

Magnus est furor et clamor hominum: „Defendite navem! Necate piratas!"

Sed piratae nautas superant; multos homines necant,

alios in navem piratarum abducunt, praedam[2] sumunt.

Nunc valde gaudent, nam praeda[2] magna est.

1) **magister** *(hier)*: Kapitän 2) **praeda, -ae f:** Beute 3) **trānsilīre:** (hinüber)springen

W **1** Achte auf den Unterschied in der Bedeutung der Verben, übersetze die Sätze und unterstreiche den Unterschied im deutschen Satz.

1. Quintus amicam → spectat. ______________________
   → exspectat. ______________________

2. Servus donum → portat. ______________________
   → apportat. ______________________

3. Amici cito → currunt. ______________________
   → accurrunt. ______________________

2 **In den Thermen**

Gaius erzählt seinen Freunden von einem Erlebnis in den Thermen. Zum Spaß baut er in seine Erzählung neun Fehler ein. Unterstreiche sie und berichtige in Stichworten.

„Stellt euch vor, heute sind einem Senator die Kleider geklaut worden. Wahrscheinlich war der Bademeister, der ja sonst immer auf die Kleider aufpasst, für ein paar Minuten weggegangen. Ich war zuerst im *tepidarium* gewesen, da war auf 80 °C geheizt, das war mir zu heiß. Deshalb bin ich ins *laconicum* gegangen, um in eine kalte Wanne zu steigen. Danach stand ich gerade unter der Dusche, als ich das Geschrei hörte. Barfuß rannte ich dorthin – man darf ja in den Thermen keine Schuhe tragen. Der Senator stand im *frigidarium*, wo man seine Kleidung ablegt, und schimpfte: ‚Ich war nur kurz in der *natatio*, um ein Buch zu lesen, und schon sind meine Kleider verschwunden!‘ Der Bademeister kam angelaufen und meinte: ‚Aber in die Thermen kommen doch keine Diebe – bei den hohen Eintrittspreisen lohnt sich das doch nicht.‘ Ich bot ihm an, zu seinem Haus zu eilen, um ihm neue Kleidung bringen zu lassen; eigentlich wollte ich ja noch in der *palaestra* eine Runde schwimmen, aber der Senator konnte ja schließlich nicht nackt durch Rom gehen, oder?“

G **3** Entscheide, ob diese Aussagen über den Ablativ stimmen.

	stimmt	*stimmt nicht*
1. Im Deutschen gibt es keinen Kasus „Ablativ“.	☐	☐
2. In der a-Deklination sieht Abl. Sg. aus wie Nom. Sg.	☐	☐
3. Die Präpositionen *cum* und *sine* stehen mit Ablativ.	☐	☐
4. In der Konsonantischen Dekl. sind Dat. und Abl. Sg. gleich.	☐	☐
5. Im Plural aller Deklinationen sind Dativ und Ablativ gleich.	☐	☐
6. Den Ablativ übersetzt man immer mit dem Dativ.	☐	☐

4 Gib dem Text – vor oder nach dem Übersetzen – eine passende lateinische oder deutsche Überschrift.

____

Quintus cum Flavia in foro Romano ambulat. Subito valde gaudet et dicit: „Vide, amica, ibi sunt Gaius atque Lucius. Ludunt. Propera!“ Dum Quintus ad amicos currit, Flavia venire cessat. Diu ante tabernam[1] stat, nam magna cum voluptate ornamenta[2] spectat. Tum Quintus iterum clamat: „Veni, Flavia! Quid est? Num amicos times?“ Amici rident, sed Flavia maesta est. Tandem Quintus sine amicis Flaviae appropinquat et rogat: „Quid in taberna[1] spectas? Placentne tibi[3] anuli[4]?“ Flavia tacet. Itaque Quintus amicam cito abducit.

1) **taberna, -ae** f: Laden 2) **ōrnāmentum, -ī** n: Schmuck(stück) 3) **tibi:** dir 4) **ānulus, -ī** m: Ring

G **5** *Ubi est Quintus?* Das erfährst du, wenn du herausgefunden hast, wo die anderen sind, die mit ihrem Namensschild gekennzeichnet sind.
Kombiniere mithilfe der Zeichnung Subjekt mit Adverbiale und Prädikat.

1. Titus	cum amica	properat.
2. Lydia	ex basilica[1]	iacet.
3. Medicus	in foro	currit.
4. Pater	in basilicam[1]	sedet.
5. Iulia	ex templo[1]	venit.
6. Orator	sine mente	ambulat.
7. Senator	ad oratorem	ludit.
8. Quintus	ante templum[1]	intrat.

G **1** Setze aus der Auswahl passende Adverbialien ein und übersetze die Sätze.

de fortuna – prima luce – in villa – cum amicis – magna cum voluptate – magna voce – in periculo – sine amica

Worüber? Wovon? Wann? Mit wem? Wo? Womit?

Subjekt	Adverbiale	Prädikat
1. Quintus	______________________	ambulat.
2. Avus	______________________	cogitat.
3. Amici	______________________	ludunt.
4. Homines	______________________	conveniunt.
5. Orator	______________________	dicit.

2 Achte auf die Verwendung des Adjektivs. Markiere mit verschiedenen Farben:

- Adjektiv als Prädikatsnomen *(steht zusammen mit einer Form von* esse*)*
- Adjektiv als Attribut
- Adjektiv als Praedicativum

Einsam und allein

Quintus maestus est, nam Flavia non iam in urbe est. Maestus in villa sedet. Nunc semper solus est. Solus in foro ambulat. Amicus Quinto dicit: „Semper de Flavia bella cogitas. Sed Cretam in insulam nunc navigat. Cur non novam amicam quaeris?“ Quintus magna voce respondet: „Flaviam solam amo.“ Tum ad templum[1] Veneris, deae amoris, properat vocatque: „Magna dea, specta me maestum! Da Flaviae bonam[1] fortunam! Da auxilium!“

1) **bonus, -a, -um**: gut

W 3 Trage die deutschen Bedeutungen in die Kästchen des Kreuzworträtsels ein.
Die Buchstaben in den umrahmten Kästchen ergeben – richtig sortiert – das Lösungswort.

Senkrecht:
1. vox
2. aequus
3. totus
4. convenire
7. fortuna
9. exponere
10. inter
11. hodie
12. natus
14. lux
15. vitium

Waagrecht:
5. emere
6. exemplum
8. urbs
13. servitus
16. sapientia
17. cuncti
18. sperare

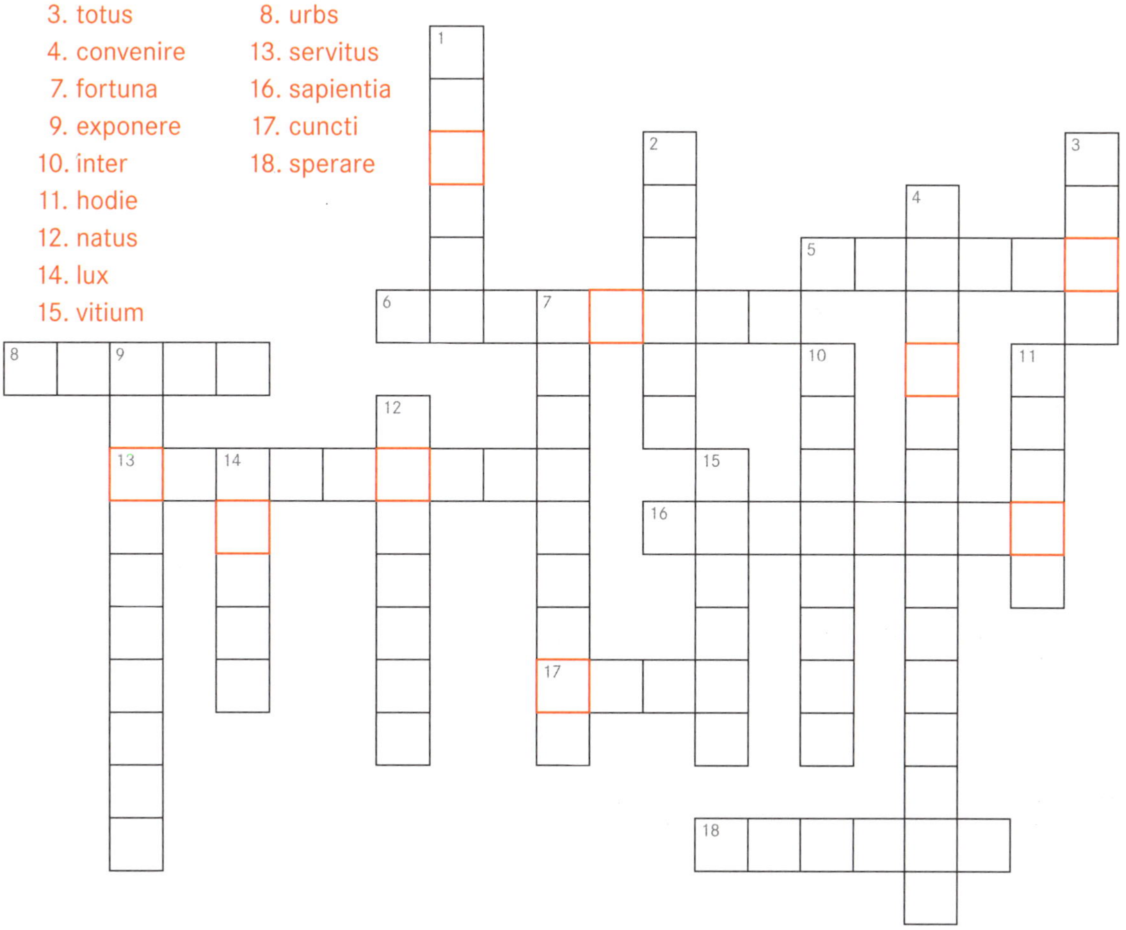

Lösung: ______________________

4 Sklaven in Rom
Wähle aus den Zahlen und Begriffen die passenden aus und setze sie in die Lücken ein.

Griechenland – patronus – fünfzig – römische – Bürger – Ärzte – Südafrika – freikaufen – consules – fünfundzwanzig – Lehrer – libertus – Senatoren – zehn – verkaufen – Germanien – verstehen – Sachen

Von der gesamten Bevölkerung Roms waren ca. ______________ Prozent Sklaven. Sie stammten z. B. aus ______________ oder aus ______________ und arbeiteten in Rom beispielsweise als ______________ oder als ______________ .

Rechtlich gesehen waren Sklaven ______________ ; ihre Herren konnten sie also ______________ . Ein ______________ blieb trotz seiner Freilassung in der Familie des ______________ .

1 Trage die Substantive im Nominativ Singular in ihre Deklinationsklasse ein.

filios – servas – victori – exempla – patri – auxilio – navem – puero – amici – vocem – reginae – populum – oratorum – agri – mortem – matrem – hominis – medici – armis – servitutis – urbe – virum – vitam – periculorum – equitum – pugnis

a-Dekl.	o-Dekl. m	o-Dekl. n	Kons. Dekl.

W 2 Wähle die richtige deutsche Bedeutung aus und trage sie zur lateinischen Vokabel ein. Die markierten Buchstaben ergeben richtig sortiert eine weitere lateinische Vokabel. Notiere sie und ihre deutschen Bedeutungen.

Le**b**en – Si**e**ger – lin**k**s – el**e**nd – geh**e**n – **w**eil – han**d**eln – Schwer**t** – ha**r**t – sc**h**ön – Kampf – Ma**n**n

pugna ____________________ miser ____________________

cedere ____________________ gladius ____________________

victor ____________________ asper ____________________

Lösungswörter: __ __ __ __ __ __ ____________________

3 Das Kolosseum in Zahlen. Trage die richtigen Lösungen ein.

eingeweiht im Jahr: ____________

Zuschauer: ____________

Höhe der Statue vor dem Kolosseum: ____________

Stockwerke: ____________

Höhe: ____________

Länge: ____________

Breite: ____________

Eingänge ingesamt: ____________

G **4** Die Schlange hat die Formen von *esse* gefressen!
Markiere sie, schreibe sie heraus und übersetze sie.
Der restliche „Mageninhalt“ ergibt einen Satz. Schreibe ihn auf und übersetze.

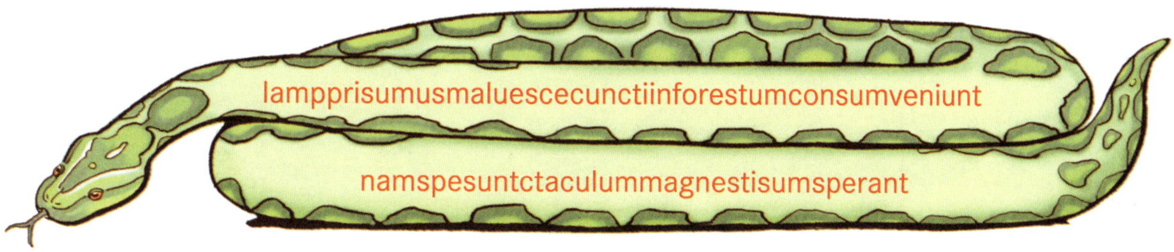

1. P. Sg.	2. P. Sg.	3. P. Sg.	1. P. Pl.	2. P. Pl.	3. P. Pl.
______	______	______	______	______	______
______	______	______	______	______	______

____

____

____

5 Der Text ist ein Gespräch zwischen einem Sklavenhändler (*mango*) und einem Käufer namens Rutilius. Ordne die Äußerungen zu und trage den jeweiligen Sprecher ein.

Sklavenkauf

______________ : Appropinquate, domini! Emite servas Germanicas pulchras et bellas!

______________ : Ego servum robustum quaero!

______________ : Veni mecum, domine!

______________ : Hic habeo[1] multos et robustos servos Graecos, Gallos, Africos.

______________ : Pueri sunt, non viri robusti.

______________ : Nonne robusti sunt? Vitio vacant et valent. Vide, domine!

______________ : Quam bonus et durus est Glaucon!

______________ : Quid dicis? Ego oculos habeo. Glaucon non valet.

______________ : Ego servum robustum et asperum quaero.

Tandem Rutilius servum robustum videt et emit.

1) **habēre, habeō**: haben; halten

6 Zu diesen Substantiven kennst du bereits die Verben. Trage sie mit ihrer Übersetzung ein.

pugna ____________ – ____________ vox ____________ – ____________

amor ____________ – ____________ navis ____________ – ____________

ardor ____________ – ____________ clamor ____________ – ____________

spectaculum ____________ – ____________

1 Die Präsens- und Imperfektformen von *esse* sind „geschüttelt". Sortiere die Buchstaben und trage die richtigen Formen in die Tabelle ein. In beiden Tempora fehlt eine Form. Ergänze sie in Farbe. Übersetze die Verbformen ins Deutsche.

mesaur · mus · narte · ares · tes · tuns · tessi · eisart · se · mare

	Präsens		Imperfekt	
	lateinisch	deutsch	lateinisch	deutsch
1. Sg.				
2. Sg.				
3. Sg.				
1. Pl.				
2. Pl.				
3. Pl.				

2 Beim Übersetzen sind Fehler passiert. Streiche sie an und korrigiere sie.

1. Quis consulem sapientia superat? – Wer übertrifft den Konsul an Menschlichkeit?

2. Nemo deis homines sacrificabat. – Niemand opfert den Göttern Menschen.

3. Cur adhuc te dominam putas? – Warum hältst du immer noch zur Herrin?

4. Mores barbarorum nemini placent. – Die Sitten der Barbaren gefielen niemandem.

5. Labor puella libera dignus non erat. – Die Arbeit ist für ein freies Mädchen nicht hart.

3 Übersetze den Text zunächst mündlich. Grenze bei den Sätzen in Z. 2–5 wie im Beispiel in Z. 1 die Wortblöcke voneinander ab.

Über die Gallier

[„Diu] [C. Iulius Caesar] [cum Gallis] [pugnabat.]
Galli homines robusti erant neque mortem horrebant.
Neque Romanis cedebant, etsi iam multi viri mortui erant.
Magno cum clamore in pugnas properabant.
Neque magna pericula timebant, sed duram servitutem.

W **4** Unterstreiche alle Wörter, die eine Person bezeichnen.
Markiere dann mit Farbe die Substantive für weibliche Personen.

amica – amicus – arma – avus – causa – cena – domina – dominus – eques – femina – filius – fuga – fur – gladius – imperator – iudex – mater – matrona – medicus – mos – nauta – nox – nuntius – oculus – orator – pater – patronus – pirata – puella – puer – regina – reus – rex – serva – servitus – servus – urbs – ventus – victor – vir

G **5** Führe die Formen auf ihre Lernform zurück und trage sie bei ihrer Wortart ein.

puto – liberos – hominis – humanis – statuimus – intrabant – morte – viros – miserorum – lucem – mortuum – dormiebas – agris – urbes – aquarum – matrem – addis – dextram – equitibus – dicimus – imponebamus – rege – laboras – labores

Substantiv im Nom. Sg.	Adjektiv im Nom. Sg. m	Verb im Infinitiv

6 **Gallien-Rätsel**

Trage die Lösungen ein. Die gekennzeichneten Buchstaben ergeben als Lösungswort einen bekannten „Gallier“. ___ ___ [J] ___ ___ ___ ___ ___

Die Gallier heißen auch ... ___ ___ ___ [ ] ___ ___

Richter, Arzt, Priester usw. der Gallier ist der ___ ___ ___ [ ] ___ ___

387 v. Chr. griffen die Gallier diese Stadt an: ___ ___ [ ]

Er unterwarf Gallien: ___ ___ ___ [ ] ___ ___

Ein berühmter Anführer der Gallier heißt: ___ [ ] ___ ___ ___ ___ ___ ___ ___ ___ ___ ___ [ ]

Der Name Provence ist abgeleitet von ... ___ ___ ___ ___ ___ ___ ___ ___ [ ]

1 Setze die Person-Zeichen des Perfekts an Perfektstämme, die des Präsens an Präsensstämme und übersetze die Verbformen.

imus · s · tis · t · it · o · istis · erunt · nt · i · mus · isti

1. P. Sg.:	laborav ☐	______	pet ☐	______
2. P. Sg.:	audi ☐	______	tacu ☐	______
3. P. Sg.:	spera ☐	______	invas ☐	______
1. P. Pl.:	ris ☐	______	appare ☐	______
2. P. Pl.:	serva ☐	______	trax ☐	______
3. P. Pl.:	mis ☐	______	stude ☐	______

2 Ordne den griechischen Buchstaben ihre Bezeichnungen zu.
Wähle aus, denn es sind mehr Bezeichnungen als Buchstaben.

lambda delta kappa iota omega psi beta rho
omikron ny alpha theta phi sigma chi pi

Α α	Β β	Δ δ	Θ ϑ	Ι ι	Λ λ
Ν ν	Π π	Ρ ρ	Φ ϕ	Χ χ	Ω ω

3 Markiere mit verschiedenen Farben
- die Verbformen und Pronomen der Person, die spricht (1. P. Sg.), und
- die Verbformen und Pronomen der Person, die an gesprochen wird (2. P. Sg.).

Quintus träumt

Quintus: Salve, Aule. Quam gaudeo te videre!
Sed dic mihi[1]: Quid Romae agis? Cur in Creta non iam es?
Aulus: Creta mihi[1] non placuit. Vitam miseram ibi vixi.
Ego urbem et spectacula amo, sed ibi neque equi neque gladiatores[1] boni erant.
Quintus: Itaque desperavisti et ex insula decessisti.
Quid pater dixit? Tene Romam misit?
Aulus: Patrem non rogavi. Nocte de villa cessi et navem quaesivi.
Quintus: Nonne nautae causam rogaverunt? Num te patre invito[2] Romam portaverunt?
Aulus: Sic est, Quinte!

1) **mihī**: mir 2) **patre invītō**: ohne Einverständnis des Vaters

4 Ergänze die fehlenden Buchstaben in der Konjugation von *esse* und die Übersetzung.

Präsens	Imperfekt	Perfekt
___ u ___	e ___ ___ m	fu ___
e ___	___ ra ___	___ ___ isti
___ ___ t	e ___ a ___	___ ___ i ___
su ___ ___ ___	___ ram ___ ___	___ ___ ___ mu ___
___ ___ ___ is	e ___ ___ ___ is	f ___ is ___ ___ ___
___ un ___	___ ___ ___ n ___	___ ue ___ ___ ___ t

	Präsens	Präteritum	Perfekt
ich			
du			
er/sie/es			gewesen
wir			
ihr			
sie			

W 5 Markiere die Wörter, mit denen ein Nebensatz eingeleitet sein kann (Subjunktionen), rot und die Wörter, die Gleichartiges verbinden (Konjunktionen), blau und schreibe die Bedeutung darüber.

atque dum nam enim si etsi

et sed quod neque cum quamquam

G 6 Vergleiche die Verwendung der Vergangenheitstempora im Deutschen und im Lateinischen.

Fuit quondam puella. Puellam cuncti amabant. Aviae[1] autem valde cara erat. Avia[1] puellae cucullum rubrum[2] donavit[3]. Cucullo ornata[4] cunctis placebat. Itaque cuncti puellam vocaverunt Rubrocucullam.

1) **avia, -ae** f: Großmutter
2) **cucullus (-ī) ruber (-brī)**: rotes Käppchen
3) **dōnāre, dōnō, dōnāvī**: schenken
4) **ōrnātus, -a, -um**: geschmückt

Es war einmal ein Mädchen. Das Mädchen hatten alle lieb. Sehr lieb aber war es der Großmutter. Die Großmutter schenkte dem Mädchen ein rotes Käppchen. Mit dem Käppchen (geschmückt) gefiel es allen. Daher nannten alle das Mädchen Rotkäppchen.

a Unterstreiche alle Verbformen im Deutschen. Ihr Tempus ist das ______________________ .

b Markiere die lateinischen Imperfektformen und ihre deutschen Entsprechungen farbig. Das Tempus der lateinischen Verbformen, die du nicht markiert hast, ist das ______________________ .

Erklärung: Im Lateinischen ist die Erzählzeit ______________________ , im Deutschen aber ______________________ . Mit dem ______________________ im Lateinischen wird dagegen der (länger andauernde) Hintergrund für die Geschehnisse dargestellt.

1 **a** Unterstreiche die Perfektstämme rot, die Präsensstämme blau.

abdux- add- ars- audiv- ced- cogitav- col-
dix- edid- eg- expon- lud- mis- mov- paru-
plaus- portav- quaesiv- respond- specta- stude-
tetig- supera- time- trah-

b Umrahme die Verbformen, die sowohl Präsens als auch Perfekt sein können.

descendimus verterunt lego emistis defendit
venis descenditis vertis venit legunt defendi

W **2** Schreibe die lateinischen Vokabeln zu den Bildern.

A

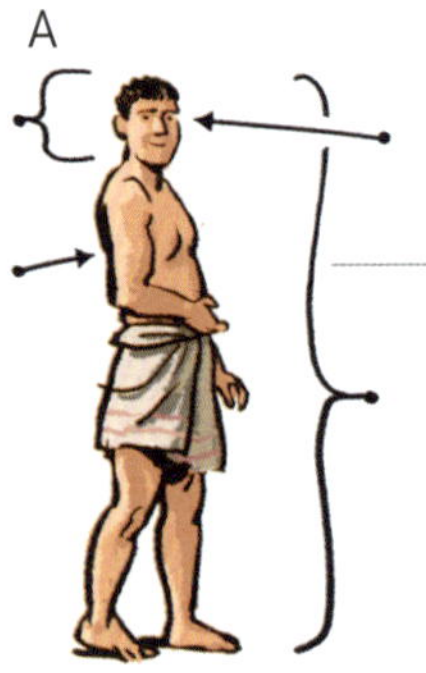

B

C

G **3** Führe die Substantive auf ihre Lernform zurück und sortiere sie ihrem Genus zu.

agros – aram – capita – corporis – exempla – fratri – genera – gladio – hospites – labore – luce – mente – mores – naves – nocte – patri – patrono – piratae – pueris – regum – ~~salutis~~ – saxum – servitutis – signo – tergo – terras – verbis – viri – vitam – vocibus

Maskulinum	Femininum	Neutrum
	salus,	

4 Götter-Rätsel.

Trage die deutschen Bedeutungen in die Kästchen des Kreuzworträtsels ein.
Die Buchstaben in den umrahmten Kästchen ergeben – richtig sortiert – das Lösungswort.

Waagrecht:

3. der Gott der Wissenschaften und Kunst
6. Bei den Römern heißt er Mercurius.
8. der griechische Name für den Gott der Schmiedekunst
10. der kleine Liebesgott der Römer
12. die Göttin der Weisheit
13. die Schwester des Zeus
14. der oberste Gott der Griechen
15. ein heiliges Tier der Juno
16. der griechische Name für Venus
17. Bei den Römern heißt sie Diana.

Lösung: ______________________

Senkrecht:

1. Apollos Zwillingsschwester
2. Jupiters Ehefrau
4. ein Kennzeichen Apollos

Fortsetzung Senkrecht:

5. So heißt Mars bei den Griechen.
7. der griechische Name für den Meeresgott
9. Mercurius ist zuständig für ..., Diebe und Reisen.
11. ..., Blitz und Adler sind die Kennzeichen Jupiters.
12. der Götterbote

5 Markiere die Stellen im Text, an denen man Quintus' Verzweiflung sehen kann.

Verzweifelt?

Quintus diu de fabula cogitabat: „Deucalioni et Pyrrhae deos precibus movere licebat. Cur ego deos adhuc non movi? Cur Iuppiter, quamquam genus humanum delere[1] cogitabat, mentem mutavit? Cur Deucalionem et Pyrrham solos servavit? Certe pii fuerunt et deos semper coluerunt. Nonne et ego pius sum? Semper deos colo et eis[2] sacrifico. Cur dei me non audiunt? Quid eis[2] non placet? Deucalioni et Pyrrhae licuit genus humanum reparare[3], cur mihi[4] Flaviam recipere[5] non licet?"

1) **dēlēre**: vernichten, auslöschen 2) **eīs**: ihnen 3) **reparāre**: wiederherstellen
4) **mihī**: mir 5) **recipere**: zurückbekommen, zurückerhalten

1 Gaius und Lucius (G + L) sprechen mit ihrem Freund Quintus (Q).
Ordne die Sprechblasen den Personen zu. Markiere dazu die Personal-Pronomina.

Vos semper laeti fuistis, ego autem maestus fui. [ ]

Tibi nuntium miseramus, sed tu nobis non respondisti. [ ]

Ludere mihi non placet. [ ]

Quid te sollicitat, cur nos non convenisti? [ ]

Vos rogo: Date mihi auxilium! [ ]

Numquam nobiscum ludis. [ ]

Nunc mihi scripsit: Auxilium a me petit. [ ]

Cura me sollicitabat, quod tam diu nihil de Flavia audivi. [ ]

2 Nenne die lateinischen Begriffe zum Thema „Schreiben in der Antike“.
Diese Buchstaben brauchst du:

a a c c d e e e e i i l l l m
n o o p r s s s t t u u u v x

Wachs c ___ ___ ___

Brief ___ ___ ___ ___ ___ ___ ___ ___

Buchrolle ___ ___ ___ ___ ___ ___ ___

Griffel ___ ___ ___ ___ ___ ___

Päckchen aus Wachstafeln ___ ___ ___ ___ ___

W 3 Führe die Formen auf ihre Lernform zurück und gib deren deutsche Bedeutung an.

miseramus → ____________ ____________

cognovit → ____________ ____________

das → ____________ ____________

egerunt → ____________ ____________

miseros → ____________ ____________

oppresserat → ____________ ____________

vim → ____________ ____________

genere → ____________ ____________

salutem → ____________ ____________

tetigi → ____________ ____________

virum → ____________ ____________

regum → ____________ ____________

4 Diesen Grabstein hat man in Köln gefunden.

Die Übersetzung der Zeilen 1 und 2 ist gegeben.
Übersetze die Zeilen 3 und 4.

Gaius Aiacius, Sohn des Publius,

aus der tribus (Bürgerabteilung) Stellatina, Sklavenhändler,

____

____

5 Stelle aus den Bestandteilen die lateinischen Verbformen zusammen.

Präsensstamm:	ambula- audi- fle- labora- leg- tace-
Perfektstamm:	cognov- ded- defend- interrogav- putav- scrips-

Tempus-Zeichen:	-ba- -ba- -ba- -era- -era- -era-

Person-Zeichen:	-nt -t -tis -o -s -isti -mus -it -i -mus -nt -tis

1. ich habe gefragt ______________
2. sie hatten erkannt ______________
3. sie ging spazieren ______________
4. du weinst ______________
5. ihr hattet geglaubt ______________
6. sie schwiegen ______________
7. ihr hört ______________
8. wir arbeiteten ______________
9. ich lese ______________
10. er hat gegeben ______________
11. du hast geschrieben ______________
12. wir hatten verteidigt ______________

6 Unterstreiche die Wörter im Text, an denen zu erkennen ist, dass für Quintus etwas Positives geschieht.

Endlich!

Quintus epistulam Flaviae iterum atque iterum legebat. Quam laetus erat, quam gaudebat! Dei preces audiverant, fortunam amicae in bonum verterant. Flavia mortua non erat. Serva quidem[1] erat, sed vivebat. Tum Quintus magno cum gaudio[2] ad bibliothecam cucurrit, ubi pater sedebat et scribebat. „Audi, pater! Nuntium bonum et iucundum tibi apporto: Flavia adhuc vivit, dei eam[3] servaverunt. Statim in Galliam properare debemus.“ Tum Domitius: „Quid dicis, Quinte? … O di magni! Gratiam[4] vobis agimus.“

1) **quidem**: zwar 2) **gaudium, -ī** n: Freude 3) **eam**: sie 4) **grātia, -ae** f: Dank

1 Das „Subjekt“ des AcI, das im Akkusativ steht, und das „Prädikat“ des AcI, das im Infinitiv steht, sind hervorgehoben. Übersetze die Sätze.

Nemo … **putat.**

Niemand glaubt,

1.	equos	epistulas		scribere
2.	reginam	in agris		laborare
3.	reos	iudicem		defendere
4.	deos	homines		timere
5.	canes	fabulas		legere
6.	piratas	nautis	dona	dare

1. dass ……………………………………
2. dass ……………………………………
3. dass ……………………………………
4. dass ……………………………………
5. dass ……………………………………
6. dass ……………………………………

2 In diesem Text unterhalten sich Quintus (Q) und Aulus (A).
Ordne die Aussagen den beiden Personen zu und schreibe den Sprecher davor.

Nachricht von Flavia

Quintus per forum ambulabat, cum subito Aulus appropinquavit et iam procul clamavit:
……: Salve, Quinte!
……: Quam gaudeo Flaviam in Gallia servam esse!
……: Quid audio?
……: Gaudesne amicam in servitute esse?
……: Haud bene dixi. Gaudeo Flaviam, etsi serva est, mortuam non esse.
……: Sic licet eam redimere[1].
……: Nos profecto in Galliam properare cogitamus.
……: Sed dic mihi: Unde scis amicam adhuc vivere?
……: Num ignoras Sulpiciam tota urbe cunctis hominibus de sorte Flaviae narrare[2]?
……: Di magni! Pater matrem de Flavia tacere iussit.

1) **eam redimere**: sie frei(zu)kaufen 2) **nārrāre de**: erzählen über/von

W 3 Schreibe für alles, was du siehst, die lateinische Vokabel dazu.

G 4 Entscheide, ob in den Sätzen ein Infinitiv oder ein AcI vorliegt, und übersetze. *Tipps zum Vorgehen:* Unterstreiche zuerst den Infinitiv. Prüfe dann: Gibt es ein „Subjekt" im Akkusativ dazu (eine Person, die die im Infinitiv genannte Handlung ausführt)? Falls ja, liegt ein AcI vor.

1. Legere cunctis hominibus placet.	Infinitiv	AcI
2. Multos homines cum voluptate legere putamus.	Infinitiv	AcI
3. Dominus servos in foro ludere audivit.	Infinitiv	AcI
4. Dominus: „Servis non licet in foro ludere."	Infinitiv	AcI
5. Consules per forum ambulare audivimus.	Infinitiv	AcI
6. Consules per forum ambulare solent.	Infinitiv	AcI

5 Dieser Reisebericht enthält einige Fehler. Streiche sie rot an und berichtige sie.

Gestern Abend sind wir in Brundisium angekommen, drei Tage nachdem wir aus Rom abgereist waren. Da man zu Fuß ja nur 30–40 km am Tag zurücklegen kann, haben wir den Reisewagen genommen. Die *Via Claudia*, auf der wir gefahren sind, ist gut ausgebaut: Alle 100 Meilen findet man eine Raststation und viele Meilensteine zeigen die Entfernung an. Der Name *Via Claudia* stammt übrigens vom Konsul Appius Claudius Caecus, der sie im Jahr 12 v. Chr. angelegt hat. Nächste Woche fahren wir auf der Via Appia wieder zurück nach Rom. Ich freue mich schon auf das Übernachten im Zelt.

1 In den folgenden Sätzen fehlt das Possessiv-Pronomen. Wähle ein in Bedeutung und KNG passendes Possessiv-Pronomen aus und übersetze die Sätze.

meos | suis | nostra | meas | suum | nostro | tuis

1. Amicas ______________ salutavi, non amicas fratris.

____

2. De patre ______________ diximus, non de patre amicorum.

____

3. Domina servis ______________ labores imponit, non servis senatoris.

____

4. Tune cum filiis ______________ per forum ambulabas, non cum filiis iudicis?

____

5. Amici patronum ______________ rogaverunt, non patronum avi.

____

6. Equos ______________ quaero, non equos equitis.

____

7. Verba ______________ audire debetis, non verba iudicis.

____

2 **Theaterspiel in Rom**
Vervollständige den Lückentext.

Masken – Pantomimen – Hände – Sagenwelt – griechischen – Öffnungen – Tragödien – Frauen – Sänger

Zur Zeit des Kaisers Hadrian werden in den Theatern schon lange keine ______________ oder Komödien mehr gezeigt. Stoffe aus der griechischen und römischen ______________ werden von einem stummen Tänzer, dem ______________ , dargestellt. Dazu trägt ein ______________ oder ein Chor unter Orchesterbegleitung den meist ______________ Text vor. Der Pantomime spielt mit verschiedenen ______________ alle Rollen, auch die von ______________ . Dabei stellt er die Handlung nur durch die Bewegungen seines Körpers, besonders seiner ______________ , und mit seinen Augen dar. Diese sind durch weite ______________ in den Masken gut sichtbar.

G 3 Sortiere die Adjektive ihrer Deklinationsklasse zu. Trage sie im Nom. Sg. m/f/n ein.

graves – novos – facili – pulchrum – acria – mortales – omnium – longo – miseram – brevem – pii

a-/o-Deklination: ______________________________

____

____

Konsonantische Deklination: ______________________________

____

____

W 4 Schreibe zu allen Adjektiven ihre Bedeutungen und markiere das Adjektiv, das von der Bedeutung her zu dem deutschen Substantiv passt.

1. cura	felix ______	gravis ______	pia ______
2. fortuna	mortua ______	dextra ______	misera ______
3. iuvenis	brevis ______	sinister ______	robustus ______
4. gladius	liber ______	acer ______	asper ______
5. arbor	mortalis ______	aequa ______	alta ______

5 Vergleiche die Übersetzung mit dem lateinischen Text und korrigiere die Fehler.

In Gedanken

Aufidius se facilem praebuerat et Domitio puellas cesserat. Tum omnes in villam fratris reduxerat. Dum ibi sedent et se voluptati spectaculi dant, Quintus secum cogitabat: „Flavia fortunam gravem sustinuit, diu vitam miseram egit. Nunc autem laeta est. Certe valde gaudet se tandem liberam esse; certe nemo tam felix est quam Flavia.“ Tum oculos in amicam vertit. Sed Flavia nihil sensit. Apparebat enim amicam magna voluptate pantomimum[1] spectare.

Übersetzung mit Fehlern

Aufidius hat sich zugänglich gezeigt und überlässt Domitius die Mädchen. Dann gingen alle in das Landhaus des Bruders. Dann setzen sie sich dort und geben sich dem Vergnügen des Schauspiels hin, Quintus denkt bei sich: „Flavia hat ein schweres Schicksal ausgehalten, lang hat sie das Leben geführt, ich hatte es geschickt. Jetzt aber ist sie fröhlich. Bestimmt freut sie sich sehr, endlich ist sie frei; bestimmt ist niemand so schön wie Flavia.“ Dann wendeten sich seine Augen auf die Freundin. Aber Flavia merkt nichts. Es schien nämlich, dass die Freundin mit großem Vergnügen die Pantomime erwartet.

1 Ergänze den jeweils fehlenden Infinitiv Präsens bzw. Perfekt.

Infinitiv Präsens	Infinitiv Perfekt
	promisisse
tenere	
	descendisse
frangere	
	movisse
agere	

Infinitiv Präsens	Infinitiv Perfekt
scribere	
	coluisse
ponere	
	tetigisse
currere	
	cognovisse

2 Römer-Religion-Rätsel
Durch die richtigen Antworten erhältst du aus den Buchstabengruppen den Lösungssatz. Schreibe ihn auf und übersetze ihn.

1 Wer waren die Laren?	
persönliche Schutzgeister	GRAE
Geister der Verstorbenen	ROMA
Götter der Vorratskammer	TROI

2 Was taten Auguren?	
Eingeweide von Opfertieren untersuchen	GRAE
Flug der Vögel beobachten	NIM
Sterne deuten	CUM

3 Wie wird der Genius oft dargestellt?	
als Tänzer	LAB
als Schlange	ULT
als Stier	RID

4 Was bedeutet *„Do, ut des“*?	
„Ich gebe, weil du gibst.“	UMTA
„Gib mir, was du kannst.“	MTOL
„Ich gebe, damit du gibst.“	OSDE

5 Wie heißt der Innenraum des Tempels?	
atrium	DANT
lararium	SACA
cella	OSCO

6 Wer untersucht Eingeweide von Opfertieren?	
Haruspices	LUNT
Laren	GNOS
Auguren	RDOR

W **3** Schreibe zu allen Vokabeln die deutsche Bedeutung und markiere das Wort, das vom Wortfeld her nicht in die Reihe passt.

1. vinum	cibus	arbor	aqua
2. liberare	ponere	defendere	auxilium
3. sperare	narrare	appellare	dicere
4. gaudere	surgere	laetus	delectare

G 4 Umrahme das Prädikat, von dem der AcI abhängt.
Setze eine Klammer um den gesamten AcI und unterstreiche sein „Subjekt“ und „Prädikat“. Achte beim Übersetzen auf die Vorzeitigkeit.

(ACI)

1. Audivimus Venerem deam Paridi iuveni Helenam promisisse.

2. Omnes eam omnium mortalium pulcherrimam[1] feminam fuisse sciunt.

3. Paridem Spartam navigavisse legimus.

4. Quis eum Helenam secum Troiam abduxisse narravit?

5. Legi Graecos cum Troianis diu pugnavisse.

6. Pater pueris Troianos equum donum Minervae putavisse et eum in oppidum traxisse narrat.

1) **pulcherrima**: die schönste

5 Markiere die Eigennamen und kläre sie.

Götter der Gallier

Apud Caesarem legimus populum Gallorum deum Mercurium coluisse. Galli multa simulacra Mercurii statuerunt, nam Mercurium deum omnes artes[1] invenisse[2] et ducem[3] itineris esse putaverunt.

Etiam Apollini et Marti sacrificare solebant. Apollinem morbos[4] graves depellere[5], Marte duce[6] se semper victores esse putaverunt. Itaque, dum pugnas parant, ei sacrificia promittebant.

1) **ars, artis** f: Kunst 2) **invenīre, -veniō, -vēnī**: erfinden
3) **dux, ducis** m: Führer, Leiter 4) **morbus, - ī** m: Krankheit
5) **dēpellere, -pellō**: vertreiben 6) **Marte duce**: unter der Führung des Mars

1 Ordne die Verben ihrer Futur-Bildung zu. Achte auf ihre Konjugationsklasse.

parare, paro – legere, lego – studere, studeo – amare, amo – petere, peto – vivere, vivo – movere, moveo – sentire, sentio – scribere, scribo – aperire, aperio – orare, oro – ducere, duco – scire, scio – tacere, taceo

„bo/bi-/bu-"

Futur mit „b"

„Kameeeeel"

Futur mit „a/e"

W **2** Übersetze alle Verbformen mündlich und markiere diejenige, die von der Bedeutung her in den Satz passt.

1. Lepidus deis	convenit.	sacrificat.	explanat.
2. Genium vino	duxit.	oravit.	spargit.
3. Genium appellat: Votis	fave!	funde!	perturba!
4. Tum Laribus gratiam	exstruit.	agit.	delectat.
5. Postremo cibos flammis	comperit.	credit.	tradit.

3 Markiere die Prädikate und bestimme ihr Tempus.

Kommt jemand mit?

Aemilia: Quintus nobis multa de Traiano imperatore narravit, sed non cuncta. Hodie Calvus nos ad forum Traiani ducet et cetera narrabit, nam bello Dacico[1] interfuerat[2].

Flavius: Quocum per urbem ambulabitis, Aemilia? Cui Calvus de bello Dacico[1] narrabit? Ego vobiscum non veniam, quod solem non sustineo. Quintus in basilica Iulia erit, ubi pater eius causam pro Rabirio senatore aget. Et tu, Flavia, domi[3] manebis, quod cenam curabis. Dic, Aemilia: Nonne Flaviae auxilium dabis?

1) **Dācicus, -a, -um**: dakisch 2) **interesse, intersum, interfuī** *(m. Dat.)*: teilnehmen *(an)*
3) **domī**: zu Hause

4 Auf einer Internet-Seite steht dieser fehlerhafte Informationstext über das Trajansforum. Prüfe die Informationen und korrigiere die Fehler.

antikes ROM

Circus Maximus
Forum Romanum
Forum Traiani
Kapitol
Kolosseum
Palatin
Thermen des Caracalla

Forum Traiani (Trajansforum)

Das Trajansforum wurde von Kaiser Augustus errichtet. Es ist eine riesige Platzanlage mit einer Gerichtshalle, zwei Bibliotheken und einem überdachten Marktbereich.
Eingeweiht wurde das Trajansforum im Jahr 12 n. Chr.
Es ist schon von Weitem an der großen Säule zu erkennen, die zwischen den beiden Bibliotheken steht und fast 30 m hoch ist.
Um diese Säule läuft spiralförmig ein Fries, auf dem die Kriege des Kaisers Trajan gegen die Gallier abgebildet sind. Oben auf der Säule stand eine gewaltige Statue des Mars.

G 5 Bestimme das Tempus der Verbformen. Von den Tempora Präsens, Imperfekt, Futur, Perfekt, Plusquamperfekt fehlt jeweils eines. Nenne es und ergänze die fehlende Form.

1. narrabit, narravit, narraverat, narrabat
2. audiunt, audiebant, audient, audiverant
3. ago, egi, agebam, agam
4. liberabas, liberas, liberaveras, liberavisti
5. fleveratis, flebitis, fletis, flevistis
6. mittimus, mittebamus, misimus, miseramus

6 Die Schlange hat *esse*-Formen gefressen. Schreibe sie heraus und übersetze sie.

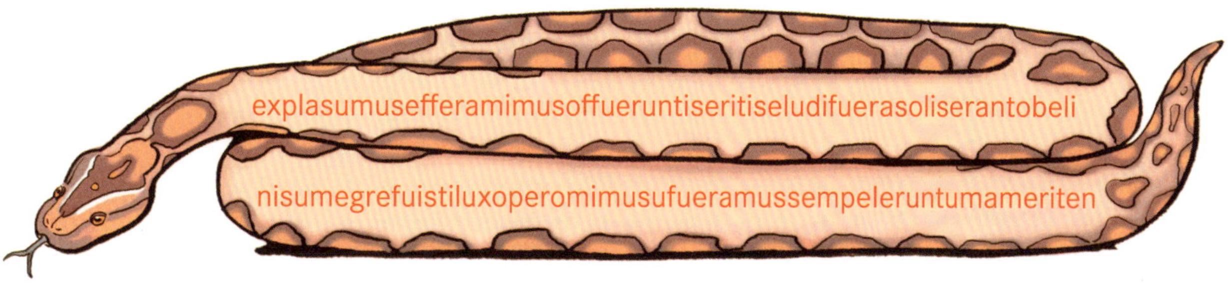

1 Ordne die Relativsätze A. bis F. wie im Beispiel einem passenden Bezugswort im Satz *„Timeo ...“* zu und übersetze. Markiere deine Übersetzung des Relativ-Pronomens farbig.

A. quem in foro audiam.

B. quos dominus mihi imposuit.

C. quam dei paraverunt.

D. ~~quae a Germanis sunt.~~

E. quibus homines necare placet.

F. qui villam invaserunt.

Timeo ... – *Ich fürchte ...*

1. D pericula, ... *die Gefahren, die von den Germanen ausgehen.*
2. ______ fures, ______
3. ______ clamorem, ______
4. ______ labores, ______
5. ______ sortem, ______
6. ______ piratas, ______

G 2 Unterscheide die Formen des Verbs *ire* von denen des Pronomens *is, ea, id*.
Trage die lateinischen Verbformen bei der Übersetzung ein. Ergänze die Pronomen und übersetze ins Deutsche.

imus | eo | ibitis | eo | eum

iis | is | eas | earum | ieramus

ich gehe:	______	cum ______	amico:	______
wir gehen:	______	______	virum:	______
ihr werdet gehen:	______	______	artes:	______
du gehst:	______	in ______	insulis:	______
wir waren gegangen:	______	______	dearum:	______

3 Führe auf die Lernform zurück und nenne ihre deutsche Bedeutung.

civitatum → ______ ______
exstruxit → ______ ______
transierunt → ______ ______
temporibus → ______ ______
sedibus → ______ ______
sustulimus → ______ ______
crevit → ______ ______
vires → ______ ______

4 Zeichne die Grenze zwischen römischem Gebiet und dem „freien Germanien“ ein. Schreibe die lateinischen Städtenamen zu ihren heutigen dazu.

Mogontiacum – Castra Regina – Augusta Treverorum – Bonna – Augusta Vindelicum – Castra Vetera – Novaesium – Constantia – Cambodunum – Colonia Agrippinensis

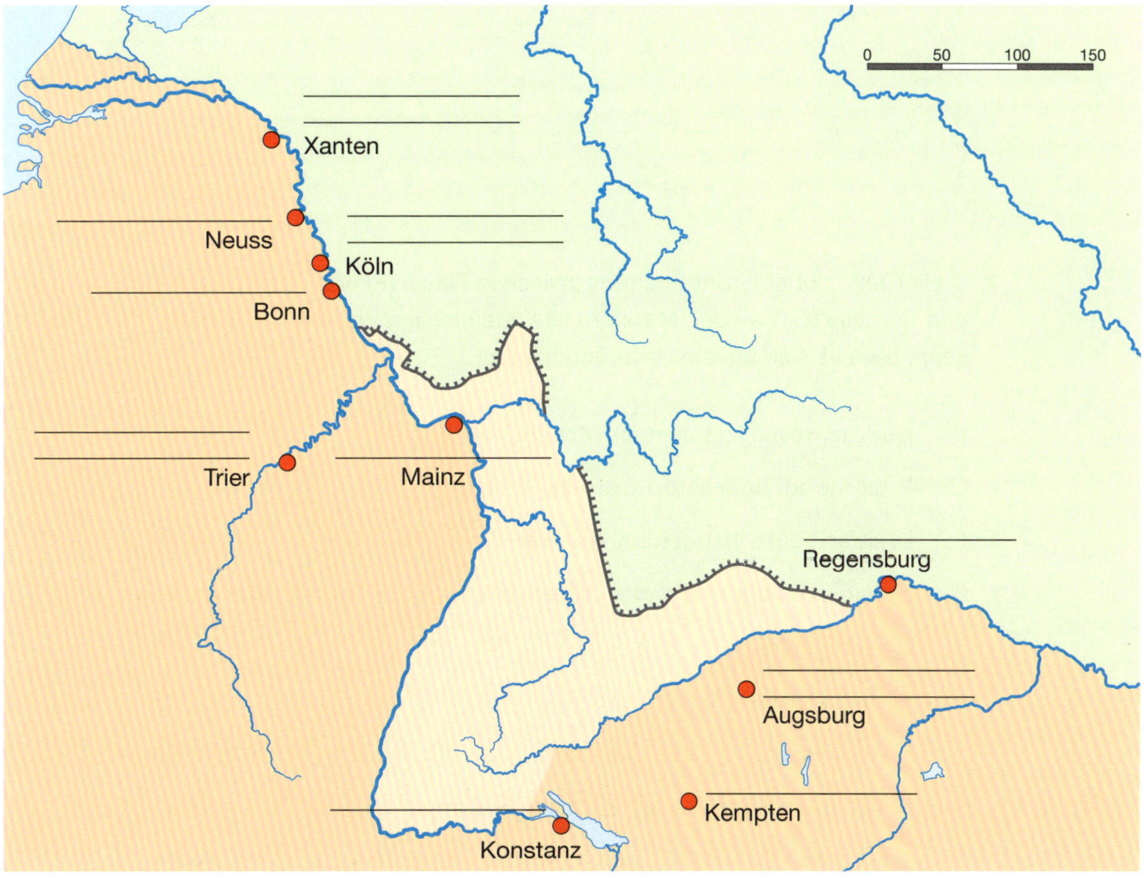

W 5 Lies den Text und entscheide, ob diese Aussagen stimmen.

	stimmt	stimmt nicht
1. Zur Zeit Caesars wollten die Germanen den Rhein überqueren.	☐	☐
2. Ein gallischer Stamm hat die Germanen überfallen.	☐	☐
3. Ein gallischer Stamm hat die Germanen um Unterstützung gebeten.	☐	☐
4. Die Germanen wurden von Caesar an der Rheinüberquerung gehindert.	☐	☐
5. Caesar hat eine Brücke über den Rhein errichtet.	☐	☐

De Germanis

Iam eo tempore, quo[1] Caesar Galliam provinciam tenebat, Germani Rhenum[2] transire studebant. Sed Caesar eos prohibebat. Nam civitas Galliae, quae ad ripas Rheni[2] suas sedes habebat, auxilium a Caesare petivit, quod Germani civitatem oppresserant. Itaque Caesar pontem in Rheno[2] posuit et milites[3] Romanos in Germaniam duxit.

1) **quō** *(hier)*: als 2) **Rhēnus, -ī** m: der Rhein 3) **mīles, -itis** m: Soldat

1 Setze zu Sätzen mit Besitzer-Dativ zusammen und übersetze.

Consuli – nobis – servae – amicis	est/sunt	duo fratres – magnus canis – villa pulchra – tres filiae

1. ______________________________
2. ______________________________
3. ______________________________
4. ______________________________

2 Dieser Text gibt eine Unterhaltung zwischen Flavia (F) und ihren Freundinnen Claudia (Cl) und Cornelia (Co) wieder. Markiere alle lateinischen Wörter und Formen, an denen man sehen kann, dass es sich um ein Gespräch handelt.

F: Amicae, vosne iam de nuptiis cogitavistis?
Cl: Pater me adhuc senatori Cornelio destinavit.
F: Unde scis eum virum idoneum esse?
Cl: Nescio, sed voluntati patris cedere debeo. Virum, quem pater mihi quaesivit, recusare nolo.
F: Et tu, Cornelia? Quid vis tu?
Co: Mater mea me virginem Vestalem esse vult. Sed te certe Quintus uxorem ducet.
F: Scitis, amicae, me Quintum amare. Sed apparet Quintum me nolle.
Co: Quid dicis, Flavia? Quis nescit Quintum te e servitute liberavisse?
F: Cur Quintus nihil dicit, cur numquam me rogat? Aemilia mihi consilium dedit. Dixit: „Simula te alium amicum habere.“ Vosne censetis id consilium aeque et utile?
Cl: Nescio. Fortasse Quintum laedes, si ita ages. Tum aliam amicam quaeret.
F: Audite: Pater multos hospites – inter eos etiam Quintum – invitavit, nam mox cena magna erit. Inter eam cenam Quintum rogabo.

G **3** Bestimme das Tempus der Verbformen. Von den Tempora Präsens, Imperfekt, Futur, Perfekt, Plusquamperfekt, Futur II fehlt jeweils eines. Nenne es und ergänze die fehlende Form.

1. servavisti, servabis, servaveris, servas, servaveras ________ ________
2. tradit, tradiderat, tradet, tradidit, tradebat ________ ________
3. creverant, creverint, creverunt, crescebant, crescent ________ ________
4. redimus, redieramus, rediimus, redierimus, redibamus ________ ________
5. sentiunt, sentiebant, senserant, sentient, senserint ________ ________
6. sustuli, tollebam, tollo, sustuleram, tollam ________ ________
7. agetis, egeritis, egistis, agebatis, agitis ________ ________
8. statui, statuero, statueram, statuebam, statuo ________ ________

W 4 Graffiti gab's auch schon in der Antike. Entziffere die Inschriften und markiere die, die von Quintus stammen könnten.

G 5 Wähle die richtigen Formen von *esse* aus und ordne sie ihren Übersetzungen zu.

fuit – ero – sunt – fueratis – fuisti – erit – eram – fuimus – sum – est

er ist ______	wir sind gewesen ______
ich war ______	er wird sein ______
sie sind ______	ihr wart gewesen ______

6 Heiraten in Rom

Wähle aus den Begriffen die passenden aus und setze sie in die Lücken ein.

ihres Ehemannes – ego – Götterbild – uxor – Juno – nuptiae – Feuer – est – toga – orangefarbenen – und Großeltern – sum – blickdichten – der Braut – palla – volo – auf dem Forum – weißen – Vesta – tu

Bei der Hochzeit trägt die Braut eine safrangelbe ______ und einen ______ Schleier. Die Ehe wird geschlossen mit den Worten „Ubi ______ Gaius, ______ Gaia."

Die Hochzeitsfeier findet bei den Eltern ______ statt. Von dort wird die Braut zum Haus ______ geführt.

Unverheiratet bleiben die Priesterinnen der ______. Sie kümmern sich im Tempel um das heilige ______.

1 Markiere die Stellen im Text, an denen zu sehen ist, dass diese Handlung zeitlich vor der Handlung im Lektionstext „Abschiedsfest“ spielt.

Einladung

Flavius: Cena magna erit, non modo quod Gabinus consul aderit, sed etiam quod Gallae, servae Flaviae, libertatem dabo. Ubi[1] eam dimisero, spectaculum, quod nondum vidistis, spectabitis, Domiti. Venite iam hora decima!

Domitius: Venire non poterimus, Flavi. Modo litteras accepi, ex quibus fratrem morbo[2] gravi laborare cognovi. Itaque statim equo Ostiam[3] ibo.

Flavius: Valde doleo[4] te venire non posse. Sed Sulpicia sola cenae interesse potest.

Domitius: Cum ego ab urbe absum, Sulpicia domi[5] manere vult, ut scis. Sed audi: Fortasse in tempore redibo. Tum certe cenae intererimus.

1) **ubī**: sobald 2) **morbus, -ī** m: Krankheit 3) **Ostia,-ae** f: Ostia *(Hafenstadt, ca. 25 km von Rom entfernt)*
4) **dolēre**: bedauern 5) **domī**: zu Hause

W 2 Trage die deutschen Bedeutungen für die Vokabeln in das Kreuzworträtsel ein. Die Buchstaben in den umrahmten Kästchen ergeben – richtig sortiert – das Lösungswort.

Waagrecht:
4. quattuor
8. decem
9. capere
10. libertas
15. accipere
16. conspicere
17. bibere

Senkrecht:
1. priusquam
2. poscere
3. abire
5. mensis
6. iuxta
7. testis
11. parentes
12. incipere
13. dubitare
14. aspicere

Lösung: ______________________

G 3 Sortiere die Verben nach ihrer Konjugationsklasse. Trage sie in der Grundform und in der 1. P. Sg. Präsens ein.

agis – audivimus – bibite – capitis – caruerat – comperimus – conspexistis – cucurristi – cupivit – ~~dedero~~ – defendunt – delectabas – dormient – exercemus – incipiebat – manebitis – mittis – movi – nescit – oraverant – petivisti – paruero – simulabas – steterunt – statuit – studemus – tacuerant – veniam – vocabitis

kurzvokalische i-Konjugation

a-Konjugation

dare, do

e-Konjugation

i-Konjugation

Konsonantische Konjugation

4 Verbinde die Vokabeln durch Linien mit einer passenden Stelle der Zeichnung.

triclinium[1] – hospes – servus – serva – cena – cenare – aqua – vinum – bibere – cibus

In den Selbsttests kannst du überprüfen, wie sicher deine Kenntnisse und Fähigkeiten sind:

Im Bereich **Vokabeln** prüfst du dich darin,

- die deutschen Bedeutungen zu nennen,
- bei Substantiven das Genus (ab L. 1) und den Genitiv Sg. (ab L. 3) und
- bei Verben die Stammformen zu kennen (ab L. 2: 1. P. Sg. Präsens; ab L. 11: 1. P. Sg. Präs. + Perf.),
- Vokabeln im Satzzusammenhang zu erkennen und zu übersetzen.

Im Bereich **Grammatik** prüfst du dich darin,

- grammatische Fachbegriffe zu verstehen und zu verwenden,
- Formen zu erkennen, zu benennen, einzuordnen, zu bestimmen und zu bilden,
- satzwertige Konstruktionen zu erkennen und im Deutschen wiederzugeben.

Im Bereich **Text** prüfst du dich darin,

- Aussagen eines lateinischen Textes zu verstehen,
- über die Bedeutung von Vokabeln im Kontext zu entscheiden,
- Formen im Satzzusammenhang zu erkennen,
- passende Formulierungen im Deutschen zu verwenden.

Im Bereich **Kultur** prüfst du dich darin,

- Wissen über Themen der Antike anzuwenden,
- Fachbegriffe zu verstehen und zu verwenden,
- die Bedeutung der römischen Antike für die heutige Welt zu zeigen.

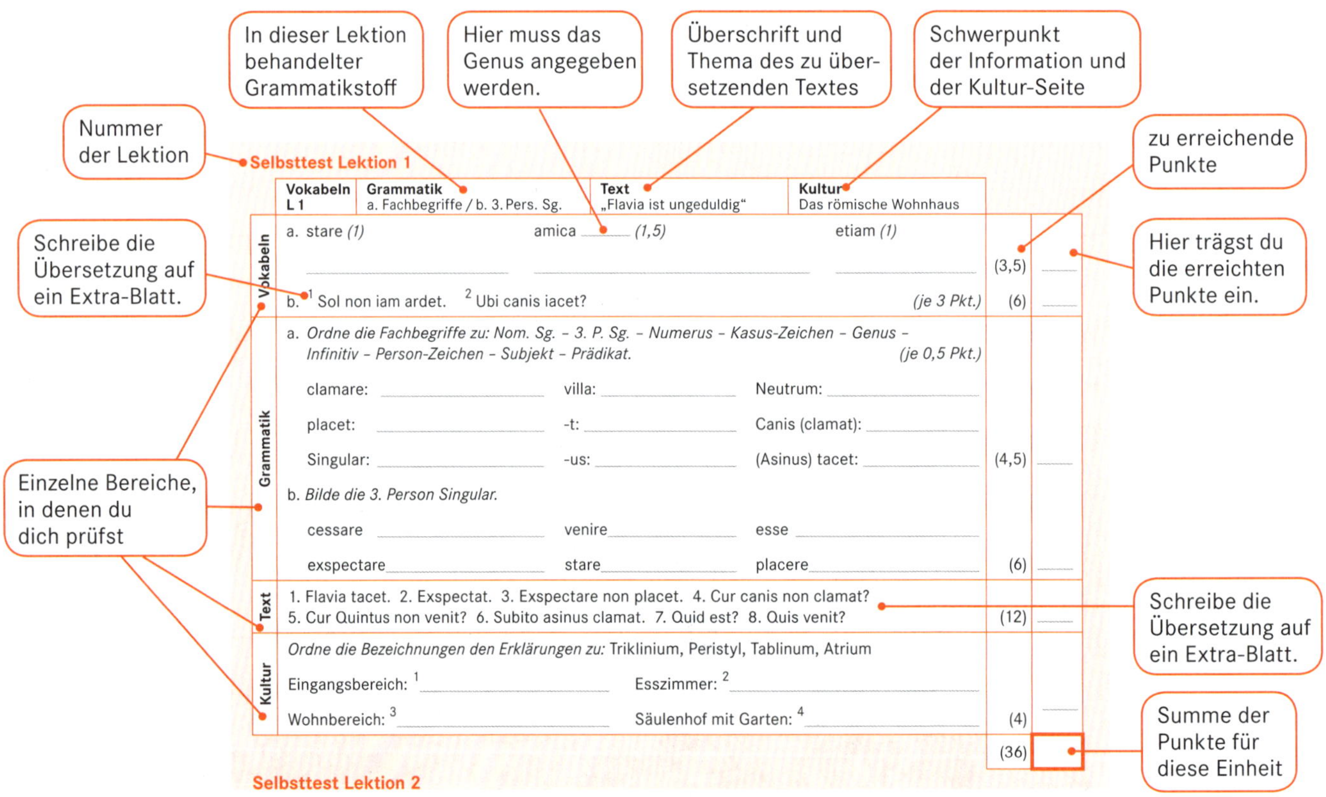

Tipps zum Vorgehen:

- Schau dir vor deiner Selbstüberprüfung den behandelten Stoff noch einmal gründlich an.
- Fülle den Test konzentriert und innerhalb von max. 30 Minuten aus.
- Kontrolliere deine Ergebnisse sorgfältig und werte sie nach den vorgegebenen Punkten aus.
- Informiere dich bei Unsicherheiten in der jeweiligen Lektion deines Cursus und deiner Begleitgrammatik.

Eine Übersicht über die Themen aller Selbsttests findest du auf der vorderen inneren Umschlagklappe des Arbeitshefts.

Zur Auswertung deiner Selbsttests 1–20:

- Rechne dir für jede richtige deiner Angaben einen Punkt an, wenn in der Aufgabe nichts anderes vorgegeben ist.

- Bei der Übersetzung ziehst du dir von der Gesamtzahl der Punkte je einen halben Punkt ab für jeden Vokabel- oder Grammatikfehler. Wenn du bei der Wertung eines Fehlers nicht sicher bist, kannst du bestimmt deine Lateinlehrerin oder deinen Lateinlehrer fragen.

- Korrigiere sorgfältig und informiere dich, wenn dir eine Lösung nicht gleich klar ist. Wenn du beim Lösen einer Aufgabe Schwierigkeiten hattest oder du dich unsicher fühltest, wiederhole den im jeweiligen Bereich angegebenen Stoff. Du findest alle Informationen in deinem Cursus und deiner Cursus-Begleitgrammatik.

- Lege dir ein Heft für Notizen an oder benutze in deinem Heft einige Seiten dafür. Schreibe auf:
  - Vokabeln aus der Vokabel- und Textaufgabe, bei denen du nicht sicher warst,
  - Formen aus der Grammatik- und Textaufgabe, die du nicht gleich erkannt oder nicht richtig übersetzt hast,
  - Fachbegriffe und Informationen aus der Aufgabe zur Kultur, bei denen du unsicher warst.

- Notiere auch die richtigen Lösungen so, dass du damit regelmäßig üben und wiederholen kannst, indem du sie z. B. abdeckst.

- Die Punkteauswertung zeigt dir, in welchen Bereichen du sichere Kenntnisse und Fähigkeiten hast. An der Gesamtpunktzahl kannst du dein Ergebnis ablesen:

Gesamtpunktzahl	Das ist das Ergebnis deines Selbsttests:	Das kannst du daraus für deine weitere Arbeit mit dieser Lektion schließen:
36–32	Du hast hohe Sicherheit in allen vier Bereichen.	Kläre die Stellen, an denen dir Punkte fehlen.
31,5–27,5	Du bist ziemlich sicher in allen Bereichen oder in drei Bereichen recht sicher.	Schau dir die Stellen, an denen dir Punkte fehlen, genauer an, und wiederhole das Thema.
27–23	Du bist sicher in einigen Teilen, unsicher in anderen.	Überprüfe, ob dir in allen Bereichen Punkte fehlen oder in einem Bereich sehr viele. Übe und wiederhole dann entsprechend.
22,5–18,5	Du hast Sicherheit nur bei etwas mehr als der Hälfte der Aufgaben.	Überprüfe, worin deine Unsicherheiten liegen. Informiere dich über diese Themen und mache einige Übungen aus deinem Buch dazu.
18–9	Du hast zu wenig Sicherheit in mindestens zwei Bereichen oder mehrere Unklarheiten in allen.	Wiederhole systematisch alle Bereiche der Lektion, indem du dich informierst und ausführlich übst. Trainiere einige Tage lang.
8,5–0	Du hast viel zu wenig Sicherheit in allen oder gar keine Sicherheit in mindestens drei Bereichen.	Wiederhole Grundlagen und die Themen dieser Lektion. Sprich mit deiner Lehrerin/deinem Lehrer über ein passendes Trainingsprogramm.

Selbsttest Lektion 1

Vokabeln L 1	Grammatik a. Fachbegriffe / b. 3. Pers. Sg.	Text „Flavia ist ungeduldig“	Kultur Das römische Wohnhaus

Vokabeln	a. stare *(1)* ______ amica ______ *(1,5)* ______ etiam *(1)* ______	(3,5)	______
	b. [1] Sol non iam ardet. [2] Ubi canis iacet? *(je 3 Pkt.)*	(6)	______
Grammatik	a. *Ordne die Fachbegriffe zu: Nom. Sg. – 3. P. Sg. – Numerus – Kasus-Zeichen – Genus – Infinitiv – Person-Zeichen – Subjekt – Prädikat.* *(je 0,5 Pkt.)* clamare: ______ villa: ______ Neutrum: ______ placet: ______ -t: ______ Canis (clamat): ______ Singular: ______ -us: ______ (Asinus) tacet: ______	(4,5)	______
	b. *Bilde die 3. Person Singular.* cessare ______ venire ______ esse ______ exspectare ______ stare ______ placere ______	(6)	______
Text	1. Flavia tacet. 2. Exspectat. 3. Exspectare non placet. 4. Cur canis non clamat? 5. Cur Quintus non venit? 6. Subito asinus clamat. 7. Quid est? 8. Quis venit?	(12)	______
Kultur	*Ordne die Bezeichnungen den Erklärungen zu:* Triklinium, Peristyl, Tablinum, Atrium Eingangsbereich: [1] ______ Esszimmer: [2] ______ Wohnbereich: [3] ______ Säulenhof mit Garten: [4] ______	(4)	______
		(36)	

Selbsttest Lektion 2

Vokabeln L 2	Grammatik a. Nom. Pl. / b. 3. Pers. Plural	Text „Die Ankunft“	Kultur Namen und Kleidung

Vokabeln	a. properare *(1)* ______ matrona ______ *(1,5)* ______ nam *(1)* ______	(3,5)	______
	b. [1] Tum amici rident. [2] Procul servae apparent. *(je 3 Pkt.)*	(6)	______
Grammatik	a. *Bilde den Nominativ Plural.* equus ______ familia ______ donum ______ matrona ______ servus ______	(5)	______
	b. *Nenne die Konjugationsklasse (je 0,5 Pkt.) und bilde die 3. Person Plural (je 1 Pkt.)* salutare: ______ - ______ venire: ______ - ______ gaudere: ______ - ______	(4,5)	______
Text	1. Quintus gaudet, nam Flavia apparet. 2. Etiam Aulus et Marcus veniunt. 3. Quid apportant? 4. Certe dona sunt. 5. Nunc M. Flavius Lepidus et Caecilia matrona appropinquant. 6. Quintus iam procul salutat: „Salvete!“ 7. Et M. Flavius Lepidus: „Salve, Quinte!“	(13)	______
Kultur	*Setze die fehlenden Wörter ein.* *(je 0,5 Pkt.)* Der Vater ist das Oberhaupt der Familie, pater [1] ______. Flavias Vater hat drei Namen: einen [2] ______: Marcus, einen Familiennamen: Flavius, und einen [3] ______: Lepidus. Ihr Großvater, der Vater ihrer Mutter Caecilia, heißt [4] ______. Wenn Flavia eine jüngere Schwester hätte, dann hieße diese [5] ______. Männer trugen eine kurzärmelige [6] ______ und bei besonderen Anlässen die [7] ______. Frauen trugen als Oberbekleidung ein langes, schlichtes Kleid, die [8] ______.	(4)	______
		(36)	

Selbsttest Lektion 3

Vokabeln L 3	Grammatik a. Akkusativ / b. Person-Zeichen	Text „Flavia denkt an Kreta“	Kultur Das Römische Reich

Vokabeln

a. parere, ________ *(1,5)* periculum ________ *(1,5)* valde *(1)*

________ ________ ________ (4) ____

b. [1] Imperator nuntium audit. [2] Provinciam administrare debes. *(je 3 Pkt.)* (6) ____

Grammatik

a. *Bilde Akkusativ Singular und Plural.* *(je 0,5 Pkt.)*

amicus: ________ / ________ familia: ________ / ________

donum: ________ / ________ canis: ________ / ________ (4) ____

b. *Markiere das Person-Zeichen und nenne die Person.* *(je 0,5 Pkt.)*

rides ________ rogamus ________ audiunt ________

voco ________ iubet ________ properatis ________ (6) ____

Text

1. Flavia: „Non gaudeo, nam in insulam Cretam navigare non placet. 2. Cur Cretam navigare debemus? 3. Hic sunt amici, hic est Quintus. 4. Cur ridetis, Marce et Aule? 5. Imperator Flavium Lepidum exspectat, me non exspectat.“ (12) ____

Kultur

Nenne *(je 0,5 Pkt.)*

[1] vier Länder, die zum Röm. Reich gehörten: ________ ________ ________ ________

[2] den heutigen Namen von Augusta Treverorum: ________

[3] das deutsche Lehnwort zu: murus - ________, crux - ________, speculum - ________ (4) ____

(36) ____

Selbsttest Lektion 4

Vokabeln L 4	Grammatik a. Deklinationen / b. Genitiv	Text „Flavias Freundinnen“	Kultur Circus Maximus

Vokabeln

a. clamor, ________ ____ ________ (2) ____

simulacrum, ________ ____ ________ (2) ____

diu ________ (1) ____

b. [1] Tandem signum dat. *(3)* [2] Ibi avus sedet. *(2)* (5) ____

Grammatik

a. *Nenne den Nom. Sg. und die Deklinationsklasse.* *(je 0,5 Pkt.)*

asini ________ consules ________

verba ________ insulae ________ (4) ____

b. *Bilde Genitiv Singular und Plural.* *(je 0,5 Pkt.)*

populus: ________ / ________ dea: ________ / ________

senator: ________ / ________ periculum: ________ / ________ (4) ____

Text

1. Cornelia et Claudia Flaviam vident. 2. Cornelia: „Ibi Flavia apparet.“ 3. Tum Claudia: „Et amicum Flaviae video: 4. Quintus senatores et amicos senatorum salutat.“ 5. Et Cornelia: „Certe etiam deam amoris salutat.“ 6. Amicae rident. 7. Tum tacent, nam verba imperatoris audiunt et simulacra deorum et dearum exspectant. (14) ____

Kultur

Kreuze die richtigen Aussagen an.

- [1] ☐ Der Circus Maximus ist 650 m lang.
- [2] ☐ Bei der *pompa* wird der Sieger geehrt.
- [3] ☐ Das Startsignal ist eine rotweiße Fahne.
- [4] ☐ Der Circus fasst 250 000 Zuschauer.
- [5] ☐ Es werden zwölf Runden gefahren.
- [6] ☐ Eine *quadriga* ist ein Viergespann.
- [7] ☐ Die *meta* ist der Wendepunkt.
- [8] ☐ Von der *spina* aus schaut der Kaiser zu.

(4) ____

(36) ____

Selbsttest Lektion 5

Vokabeln L 5	Grammatik a. Dativ / b. Kons. Konjugation	Text „Quintus und seine Freunde“	Kultur Forum Romanum

Vokabeln	a. legere, ______ *(1,5)* iudex, ______ ______ *(2)* semper *(1)* ______ ______ ______	(4,5)	___
	b. [1] Patronus furem quaerit. *(3)* [2] Orator epistulam patris legit. *(4)*	(7)	___
Grammatik	a. *Unterstreiche die Formen im Dativ Singular einfach, Dativ Plural doppelt.* *(je 0,5 Pkt.)* avo – canis – deae – patroni – senatoribus – amicis – clamoris – patri – homo	(2,5)	___
	b. *Nenne Infinitiv und 1. P. Sg. und die Konjugationsklasse.* *(je 0,5 Pkt.)* sedemus: ______, ______ ______ sumit: ______, ______ ______ dicunt: ______, ______ ______ dormitis: ______, ______ ______	(6)	___
Text	1. Dum iudices verba patroni audiunt, Quintus epistulam Flaviae legit. 2. Gaius amico Lucio dicit: 3. „Cur Quintus semper tacet?“ 4. Lucius respondet: „Certe dormit.“ 5. Amici rident, sed Quinto verba amicorum non placent.	(12)	___
Kultur	*Ordne die richtigen Bezeichnungen den Erklärungen zu:* basilica, tabularium, curia, via sacra, rostra, taberna Versammlungsort des Senats: [1] ______ Heilige Straße: [2] ______ Halle für Gerichtsprozesse : [3] ______ Rednertribüne: [4] ______	(4)	___
		(36)	

Selbsttest Lektion 6

Vokabeln L 6	Grammatik a. Adjektiv / b. Imperativ	Text „Piratenkampf“	Kultur Reisen in der Antike

Vokabeln	a. abducere, ______ *(1,5)* pugnare, ______ *(1,5)* ubique *(1)* ______ ______ ______	(4)	___
	b. [1] Venti secundi sunt. *(2)* [2] Dei soli auxilium dant. *(3)*	(5)	___
Grammatik	a. *Wähle das Adjektiv aus, das in KNG zu dem Substantiv passt (je 0,5 Pkt.), und übersetze (je 1 Pkt.).* terram (nova/novam/novae) patri (laeto/laeti/laetis) ______ ______ (multorum/multis/multi) homines navis (magnis/magna/magnus) ______ ______	(6)	___
	b. *Unterstreiche Imperativ Sg. einfach, Imperativ Pl. doppelt. (je 0,5 Pkt.)* tace – rogatis – intrate – nauta – quaere – da – iudici – defendite – iacet – venite	(3)	___
Text	1. Aulus et Marcus ludunt. 2. Aulus: „Ego sum pirata magnus. 3. Multas naves invado et nautas neco.“ 4. Marcus: „Et ego arma sumo, navem defendo.“ 5. Tum Flaviam vident. 6. Clamant: „Veni, Flavia! 7. Dum ludis, maesta non es.“ 8. Sed Flavia respondet: „Tacete!“	(14)	___
Kultur	*Setze die fehlenden Wörter ein.* Nur [1] ______ können schnell große Entfernungen im Mittelmeerraum überwunden werden. Das ist aber wegen der Winterstürme nur von [2] ______ bis Ende September möglich. In der Regel sucht man sich im [3] ______ von Ostia oder Brundisium in einem Schifffahrtsbüro ein [4] ______, das zu dem gewünschten Ziel fährt.	(4)	___
		(36)	

Selbsttest Lektion 7

Vokabeln L 7	Grammatik a. Ablativ / b. Satzglieder	Text „Erste Hilfe“	Kultur Thermen

Vokabeln

a. currere, ______ *(1,5)* portare, ______ *(1,5)* primo *(1)*

______ ______ ______ (4) ______

b. [1] In foro manemus. *(3)* [2] Nonne mortui sunt? *(2)* (5) ______

Grammatik

a. *Bilde den Ablativ und übersetze.* *(je 0,5 Pkt.)*

cum (avus) ______ – ______

sine (senatores) ______ – ______

in (aqua) ______ – ______

ex (navis) ______ – ______ (4) ______

b. *Markiere verschieden: Prädikat, Subjekt, Objekt, Adverbiale, Attribut.* *(je Satz 2,5 Pkt.)*

[1] Mater consulis in foro medicum videt. [2] Magna cum voluptate amicis dona damus. (5) ______

Text

1. Quintus cum amicis in foro ambulat. 2. Subito hominem vident: Sine mente iacet. 3. Amici nihil dicunt, sed Quintus clamat: „Medicum vocate!“ 4. Tum multi homines accurrunt, stant, spectant. 5. Quintus: „Cur auxilium non datis? Num timetis?“ 6. Tandem medicus accurrit. (14) ______

Kultur

Ordne die richtigen Bezeichnungen den Erklärungen zu:
frigidarium, caldarium, palaestra, laconicum, tepidarium

Sportplatz: [1] ______ Warmbaderaum: [2] ______

Kaltbaderaum: [3] ______ Schwitzecke: [4] ______ (4) ______

(36) ______

Selbsttest Lektion 8

Vokabeln L 8	Grammatik a. Ablativ / b. Ablativfunktionen	Text „Sklavenkauf“	Kultur Sklaven

Vokabeln

a. sperare, ______ *(1,5)* exponere, ______ *(1,5)* hodie *(1)*

______ ______ ______ (4) ______

b. [1] Tota urbe voces audimus. *(3)* [2] De fortuna cogitat. *(2)* (5) ______

Grammatik

a. *Bilde Ablativ Singular und Plural.*

oculus: ______ / ______ orator: ______ / ______ (4) ______

b. *Nenne die Frage nach dem Ablativ und seine Funktion.* *(je 0,5 Pkt.)*

Prima luce legimus. ______, ______

Lacrimis vaco. ______, ______

Donis gaudent. ______, ______

In foro ludunt. ______, ______ (4) ______

Text

1. Prima luce dominus in forum currit. 2. Ibi multi homines dominum laetis clamoribus salutant. 3. Dominus servum emit, tum magna voce amicis dicit: 4. „Placetne servus novus? 5. Robustus est, vitiis vacat.“ 6. Amici respondent: 7. „Non placet, nam ad servitutem natus non est. 8. Cuncti homines sunt aequi.“ (15) ______

Kultur

Setze die fehlenden Wörter ein.

Etwa jeder [1] ______ Einwohner Roms war Sklave. Sklaven arbeiteten beispielsweise als [2] ______ . Rechtlich gesehen sind Sklaven [3] ______ .

Die *liberti*, also die [4] ______, bleiben in der *familia* ihres *patronus*. (4) ______

(36) ______

Selbsttest Lektion 9

Vokabeln L 9	Grammatik a. Nomen auf *-(e)r* / b. Satzarten	Text „Gladiator-Spiel“	Kultur Kolosseum

Vokabeln

a. agere, ____ *(1,5)* mors, ____ ____ *(2)* etsi *(1)*

____ ____ ____ (4,5) ____

b. [1] Vita dura et misera est. [2] Pueri agrum petunt. *(je 3 Pkt.)* (6) ____

Grammatik

a. *Nenne Nom. und Gen. Sg. der Substantive sowie Nom. Sg. m/f/n der Adjektive.* *(je 0,5 Pkt.)*

viris ____ pulchras ____

matris ____ sinistro ____

pueri ____ (2,5) ____

b. *Nenne drei lateinische Konjunktionen und drei Subjunktionen:* *(je 0,5 Pkt.)*

____

Ergänze: Durch Konjunktionen sind ____ miteinander verknüpft.

Subjunktionen leiten ____ ein. (4) ____

Text

1. Publius cum aliis pueris ludit. 2. Magna voce clamat: 3. „Ego sum magnus gladiator[!]. 4. Non horreo, quod mortem non timeo. 5. Asper et durus sum. 6. Alios gladiatores[!] gladio invado, supero, neco.“ 7. Dum pueri ludunt, Flavia apparet. 8. Publius pugnare cessat. 9. Cogitat: „Quam pulchra est serva nova!“ (15) ____

Kultur

Erkläre diese Begriffe und Zahlen zum Kolosseum:

Amphitheatrum Flavium: [1] ____ pompa: [2] ____

80 n. Chr: [3] ____ 188 m: [4] ____ (4) ____

(36) ____

Selbsttest Lektion 10

Vokabeln L 10	Grammatik a. Imperfekt / b. Verwendung	Text „Gedanken einer Sklavin“	Kultur Gallien und die Gallier

Vokabeln

a. addere, ____ *(1,5)* mos, ____ ____ *(2)* adhuc *(1)*

____ ____ ____ (4,5) ____

b. [1] Labores puella libera digni non erant. *(4)* [2] Rex deis sacrificabat. *(2)* (6) ____

Grammatik

a. *Bilde die Imperfektformen.* *(je 1 Pkt.)*

2. P. Sg. von putare: ____ 1. P. Pl. von studere: ____

3. P. Pl. von esse: ____ 1. P. Sg. von audire: ____

3. P. Sg. von cedere: ____ 2. P. Pl. von sumere ____ (6) ____

b. *Ergänze.* *(je 0,5 Pkt.)*
Das lateinische Imperfekt wird im Deutschen mit dem ____

wiedergegeben. Es drückt besonders aus: Zustände oder ____ Vorgänge,

Gewohnheiten und ____ Handlungen der Vergangenheit. (1,5) ____

Text

1. Galla cogitat: „Serva nata non sum. 2. Quondam libera puella eram. 3. In agris laborabam, sed nemini parere debebam. 4. Galli liberi erant, humanitate non carebant. 5. Num Flavia domina nata est? 6. Romae servis labores imponebat, nunc cum aliis servis cenam parare debet.“ (14) ____

Kultur

Setze die fehlenden Wörter ein.
Die Gallier nennen sich in ihrer Sprache [1] ____. Im Jahr 387 v. Chr. hätten sie

[2] ____ beinahe erobert. Im 1. Jh. v. Chr. führte der römische Feldherr [3] ____

Krieg gegen die Gallier. Im Jahr 52 griff der gallische Anführer [4] ____, mit

vereinten gallischen Stämmen das römische Heer an und besiegte es fast. (4) ____

(36) ____

Selbsttest Lektion 11

	Vokabeln L 11	**Grammatik** a. Perfektstamm / b. Perfekt	**Text** „Bericht vom Überfall“	**Kultur** Griechen und Griechisch		
Vokabeln	a. trahere, ______ *(2)* hospes, ______ ______ *(2)* sic *(1)* ______ ______ ______				(5)	___
	b. [1] Desinite desperare! *(2)* [2] Si fratrem interrogo, negat. *(4)*				(6)	___
Grammatik	a. *Nenne den Perfektstamm.* rogare – ______ tacere – ______ dicere – ______				(3)	___
	b. *Konjugiere* vocare *im Perfekt.* *(je 0,5 Pkt.)* 1. P. Sg.: ______ 2. P. Sg.: ______ 3. P. Sg.: ______ 1. P. Pl.: ______ 2. P. Pl.: ______ 3. P. Pl.: ______				(3)	___
Text	1. Quintus: „Mater, tune iam audivisti? 2. Pater Flaviae et Aulus Romae sunt. 3. Piratae navem invaserunt. 4. Quamquam nautae navem defendebant, piratae superaverunt.“ 5. Mater: „Quid de Caecilia et Flavia? Vivuntne?“ 6. Quintus: „Sortem Flaviae adhuc ignoro, sed pater iam nuntium ad Flavium Lepidum misit. 7. Auxilium praebere debemus.“				(15)	___
Kultur	*Nenne ...* *(je 0,5 Pkt.)* ... zwei Bereiche, in denen die Griechen kulturelle Spitzenleistungen erbracht haben: 1 ______ , ______ ... einen griechischen Ort, an dem junge wohlhabende Römer studierten: 2 ______ ... den Bereich, in dem die Römer den Griechen überlegen waren: 3 ______				(2)	___
	Übertrage die Wörter aus der griechischen Schrift: 4 ΑΛΕΧΑΝΔΡΟΣ ______ γεωμετρία ______				(2)	___
					(36)	

Selbsttest Lektion 12

	Vokabeln L 12	**Grammatik** a. Neutra Kons. Dekl. / b. Perfektarten	**Text** „Quintus’ Albtraum“	**Kultur** Götter der Antike		
Vokabeln	a. movere, ______ *(2)* genus, ______ ______ *(2)* per *(1)* ______ ______ ______				(5)	___
	b. [1] Semper numen colui. *(2)* [2] Post aram caput vidimus. *(3)*				(5)	___
Grammatik	a. *Bestimme die Formen.* *(je 0,5 Pkt.)* numina: ______ vita: ______ capitis: ______ filius: ______ corpus: ______ salutis: ______				(3)	___
	b. *Nenne den Perfektstamm.* currere ______ venire ______ defendere ______ mittere ______				(4)	___
Text	1. Quintus: „Dum dormio, vocem Flaviae audivi. 2. Tandem amicam vidi: 3. In monte sedebat et flebat. 4. Tum de monte descendit. 5. Maesta voce dixit: 6. ‚Nuntium misi, sed non venisti. 7. Auxilium quaesivi, sed nemo auxilium dedit.‘ 8. Amicam tangebam – sed subito dei corpus Flaviae in saxum verterunt!“				(15)	___
Kultur	*Nenne die Götter und Göttinnen (griechischer/römischer Name) für diese Bereiche:* *(je 0,5 Pkt.)* Liebe: 1 ______ Götterbote: 2 ______ oberster Gott: 3 ______ Weisheit: 4 ______				(4)	___
					(36)	

Selbsttest Lektion 13

Vokabeln L 13	Grammatik a. Personal-Pron. / b. Plusquamperfekt	Text „Nachricht von Flavia“	Kultur Schreiben

Vokabeln

a. cognoscere, ______ *(2)* sustinere, ______ *(2)* tam *(1)*

______ ______ ______ (5) ______

b. [1] Cives in patriam reduxit. [2] In mari alto venti adversi sunt. *(je 3 Pkt.)* (6) ______

Grammatik

a. *Übersetze ins Lateinische.* *(je 0,5 Pkt.)*

dich: ______ ohne uns: ______ ihr: ______ mit mir: ______ (2) ______

b. *Zerlege die Verbformen in ihre Bestandteile und übersetze sie.*

f l e v e r a m: ______

m i s e r a t i s: ______

t a c u e r a t: ______

e g e r a n t: ______ (6) ______

Text

1. Quintus gaudet, quod tandem epistulam Flaviae legit: 2. „Mater, audi! Flavia mihi scripsit. 3. Amica vivit et me exspectat! 4. Diu scribere non licuit, nam piratae navem invaserant, homines in servitutem vendiderant. 5. Flavia cum Galla primo in Asiam, tum in Galliam venerat. 6. Nunc a nobis auxilium sperat.“ (15) ______

Kultur

Ordne die richtigen Bezeichnungen den Erklärungen zu:
cursus publicus, codex, scriptio continua, stilus, volumen, epistula

Brief: [1] ______ Griffel: [2] ______

Buchrolle: [3] ______ kaiserliche Post: [4] ______ (4) ______

(36)

Selbsttest Lektion 14

Vokabeln L 14	Grammatik a. AcI / b. Übersetzung des AcI	Text „Was beim Sturm geschah“	Kultur Wege und Straßen

Vokabeln

a. tollere, ______ *(2)* ponere, ______ *(2)* paratus *(1)*

______ ______ ______ (5) ______

b. [1] Quid modo de caelo cadit? *(3)* [2] Oculos aperuit et surrexit. *(2)* (5) ______

Grammatik

a. *Klammere den AcI ein und markiere sein „Subjekt im Akk.“ und „Prädikat im Inf.“* *(je 0,5 Pkt.)*

Quintus cunctos amicos in foro ludere scit.

Lucius a Quinto amicam in Gallia esse cognovit. (3) ______

b. *Übersetze die beiden Sätze aus a.* *(je 2 Pkt.)*

______

______ (4) ______

Text

1. Quintus: „In itinere per multas horas ventum audivi. 2. Quod dixi noctem iam appropinquare, pater respondit iter longum non iam esse. 3. Subito equos consistere sensi, nam tota via saxa et arbores iacebant. 4. Pater descendit. 5. Tum tempestatem arborem frangere, patrem in viam cadere vidi. 6. Sine mente iacuit, itaque ego valde timui.“ (15) ______

Kultur

Ergänze die fehlenden Wörter.
Die römischen Straßen sind ursprünglich nicht für Reisende gebaut, sondern für [1] ______ ______. Benannt wurden sie meist nach ihrem Erbauer, z. B. heißt die von Appius Claudius Caecus 312 v. Chr. angelegte Straße, die von Rom nach Süden führt, [2] ______. Zu Fuß schafft man pro Tag ca. [3] ______ km, mit Pferd oder Reisewagen 60–75 km. An den Raststationen kann man [4] ______. (4) ______

(36)

Selbsttest Lektion 15

Vokabeln L 15	Grammatik a. Adjektive Kons. Dekl. / b. Possessiv-Pron.	Text „Flavia über ihren Herrn“	Kultur Freizeit: Theater

Vokabeln	a. iudicare, ______ *(2)* tempus, *(2)* ______ ______ facilis *(1)* ______ ______ ______	(5)	___
	b. [1] Dea iuveni felici donum promisit. *(3)* [2] Omnes homines mortales sunt. *(2)*	(5)	___
Grammatik	a. *Wähle die in KNG passende Adjektivform aus (je 0,5 Pkt.) und übersetze die Kombination (je 1 Pkt.).* gladios (acri/acres/acribus): ______ iter (brevis/brevi/breve): ______	(4)	___
	b. *Setze die in KNG passende Form des Possessiv-Pronomens dazu und übersetze.* tuos – nostra – meam – tuum – vester – nostris – mea – vestro viam ______ – ______ precibus ______ – ______ cum rege ______ – ______ canes ______ – ______	(4)	___
Text	1. Flavia: „Dum per breve tempus serva in Gallia sum, Aufidius Aridus dominus meus fuit. 2. Semper se facilem praebuit, semper bene cum servis suis egit, numquam acribus verbis nos terruit. 3. Servi dicere solebant: ‚In regno domini nostri etiam servi felices sunt – etsi reginam nostram horremus.‘ 4. Nunc ego Romae servos meos curare cogito.“	(15)	___
Kultur	*Ergänze die fehlenden Wörter.* Zur Zeit des Kaisers Hadrian werden in den Theatern vor allem Stücke aus der [1] ______ von einem [2] ______ dargestellt. Dieser spielt mit verschiedenen [3] ______ alle Rollen. Der Zuschauerraum eines Theaters war halbrund und gegenüber befand sich die [4] ______.	(4)	___
		(36)	

Selbsttest Lektion 16

Vokabeln L 16	Grammatik a. Inf. Perfekt / b. Zeitverhältnis im AcI	Text „Quintus erzählt vom Tag“	Kultur Römische Religion

Vokabeln	a. dimittere, ______ *(2)* accedere, ______ *(2)* domum *(1)* ______ ______ ______	(5)	___
	b. [1] Fave votis! *(2)* [2] Hospites cibis delectant. *(2)*	(4)	___
Grammatik	a. *Nenne den Infinitiv Perfekt.* vocare: ______ movere: ______ dicere: ______ defendere: ______	(4)	___
	b. *Übersetze unter Beachtung des Zeitverhältnisses.* *(je 2 Pkt.)* 1. Lucius Quintum amicam e Gallia reduxisse narravit. 2. Flavia se servam in Gallia fuisse dicit.	(4)	___
Text	1. Quintus: „Lucius me convenit dixitque se iam multa de itinere audivisse. 2. Narravit nos Flaviam per vim liberavisse. 3. Ego ei narravi dominum Gallum difficilem non fuisse et Flaviam statim dimisisse. 4. Tum domum properavi, nam matrem cenam iam paravisse sciebam. 5. Post cenam pater Laribus gratiam egit, nam auxilio eorum iter nostrum bene cessit.“	(15)	___
Kultur	*Ordne die richtigen Bezeichnungen den Erklärungen zu:* lararium, Penaten, Genius, cella, Schlange, Auguren, Haruspices, Laren, Weihrauch, Podium Innenraum des Tempels: [1] ______ Vogelflugdeuter: [2] ______ persönlicher Schutzgeist: [3] ______ Hausgötter: [4] ______	(4)	___
		(36)	

Selbsttest Lektion 17

Vokabeln L 17	Grammatik a. Interrogativ-Pronomina / b. Futur I	Text „Roms Denkmäler“	Kultur Trajansforum

Vokabeln

a. annus, ______ ______ *(2)* ducere, ______ *(2)* satis *(1)*

______ ______ ______ (5) ___

b. [1] Saepe te oravi, tamen negavisti. *(3)* [2] Tres pontes vidimus. *(2)* (5) ___

Grammatik

a. *Bestimme das Interrogativ-Pronomen (je 0,5 Pkt.) und übersetze (je 1,5 Pkt.).*

Quem in foro vidisti? ______ ______

Cui auxilium dedistis? ______ ______ (4) ___

b. *Suche die Futur-I-Formen heraus und übersetze sie.*
spectabas - mittet - sentiam - manent - flebunt - servavimus -aperuit - rogabimus

______ (4) ___

Text

1. Aemilia: „Tiberi, quo hodie ambulabis? 2. Quis tecum veniet? 3. Iterumne fora petes?“ 4. Tiberius: „Sic est, fora petam, Aemilia. 5. Romani ingentia monumenta ad honorem imperatorum exstruxerunt. 6. Opera tam egregia in provincia numquam videbimus. 7. Veni mecum! 8. Te per urbem ducam et ibi monumenta explanabo.“ (14) ___

Kultur

Ergänze die fehlenden Wörter.
Von allen Seiten schauten Figuren gefangener [1] ______ auf das Trajansforum herab. In der Mitte erhebt sich die fast 40 m hohe [2] ______. Um die Säule läuft spiralförmig ein [3] ______, auf dem die Geschichte der Kriege dargestellt ist. Oben auf der Säule stand eine gewaltige Statue von [4] ______. (4) ___

(36)

Selbsttest Lektion 18

Vokabeln L 18	Grammatik a. Relativ-Pron. / b. *ire* + Komposita	Text „Germanen-Gefahr?“	Kultur Römer in Deutschland

Vokabeln

a. prohibere, ______ *(2)* imperium, ______ ______ *(2)* nisi *(1)*

______ ______ ______ (5) ___

b. [1] Numerus hominum crevit. *(2)* [2] Ea civitas nullas sedes habuit. *(4)* (6) ___

Grammatik

a. *Bestimme das Relativ-Pronomen (je 0,5 Pkt.) und übersetze (je 1,5 Pkt.).*

Puella, quam in foro vidi, laeta fuit. ______

______

Consules, quorum voces audis, viri boni sunt. ______

______ (4) ___

b. *Bestimme die Verbformen und übersetze sie.*

peribitis ______ rediit ______ (2) ___

Text

1. Mater: „Salve, Quinte, in tempore redisti. 2. Quid hospites, quos Flavii invitaverant, narraverunt?“ 3. Quintus: „Hospes, cuius vox magna fuit, dixit pericula a Germanis esse. 4. Civitates, quae trans Danuvium sedes habuerant, transierunt neque redierunt. 5. Mater, dic: Estne periculum?“ 6. Mater: „Germani sunt amici, qui nobiscum provinciam administrant.“ (15) ___

Kultur

Nenne zwei typische Merkmale für eine von den Römern gegründete Stadt. *(je 0,5 Ptk.)*

1 ______

Nenne den Namen der Grenzbefestigung zwischen römischem und germanischem Gebiet.

2 ______ *Nenne für die beiden lateinischen Ortsnamen die heutigen.*

Colonia Agrippina [3] ______ Castra Regina [4] ______ (4) ___

(36)

Selbsttest Lektion 19

Vokabeln L 19	Grammatik a. Besitzer-Dativ / b. Futur II	Text „Gespräch übers Heiraten“	Kultur Das Leben der Frauen

Vokabeln

a. velle, ______ *(2)* ostendere, ______ *(2)* ita *(1)*

______ ______ ______ (5) ___

b. [1] Fortasse consilium utile est. *(3)* [2] Te laedere nolui. *(2)* (5) ___

Grammatik

a. *Unterstreiche das Wort im Besitzer-Dativ und übersetze.*

Amicis tres canes sunt. ______

Mihi frater est. ______ (2) ___

b. *Suche die Futur-II-Formen heraus und übersetze sie.*

prohibuero – explanabis – appellaveram – surrexerit – sustinuerat – defenderint – fueris

______ ______

______ ______ (4) ___

Text

1. Tiberius: „Audivi Flaviam de nuptiis cogitare.“ 2. Aemilia: „Num Flavius dixit se filiam viro idoneo destinavisse? 3. Statim ad eum ibo. 4. Flavia enim neminem alium vult nisi Quintum. 5. Si Flavium rogavero, voluntati Flaviae cedet.“ 6. Tiberius: „Num dea amoris vis esse? 7. Hominibus non est ius amorem incitare. 8. Si dei amorem volunt, homines recusare non debent.“ (16) ___

Kultur

Nenne vier Aspekte des Lebens einer Vestalin.

1 ______ 2 ______

3 ______ 4 ______ (4) ___

(36) ___

Selbsttest Lektion 20

Vokabeln L 20	Grammatik a. Kurzvok. i-Konj. / b. Komposita von *esse*	Text „Endlich frei!“	Kultur Essen

Vokabeln

a. capere, ______ *(2)* poscere, ______ *(2)* decimus *(1)*

______ ______ ______ (5) ___

b. [1] Iudex testes aspiciebat. *(2)* [2] Priusquam parentes veniunt, abibo. *(3)* (5) ___

Grammatik

a. *Zerlege die Verbformen in ihre Bestandteile und übersetze sie:*

c a p i e t: ______ a u d i a m: ______

l e g i s: ______ c u p i m u s: ______ (4) ___

b. *Bestimme die Verbformen und übersetze sie.*

interfuerat: ______

aderitis: ______ (2) ___

Text

1. Galla, quam pater iuxta Flaviam collocavit, cenae interest. 2. Accipit cibos, quos servae apportant, bibit, secum cogitat: 3. „Semper libertatem cupivi, tandem libera sum. 4. Etiam Flavia, quae per quattuor menses domina non esse potuit, in servitute non iam est. 5. Hodie liberae abibimus. Flavia cum Quinto amico et ego ...?“ 6. Dubitat, tum magna voce dicit: „In Galliam redibo!“ Et ridere incipit. (16) ___

Kultur

Kreuze die richtigen Aussagen an.

1 ☐ Die *cena* war die Hauptmahlzeit.
2 ☐ Die *cena* fand gegen 19 Uhr statt.
3 ☐ Die Römer aßen kein Fleisch.
4 ☐ Auf einer Liege lagen vier Gäste.
5 ☐ Es gab keine Gabeln.
6 ☐ Essensreste warf man auf den Boden.
7 ☐ *sal* bedeutet „Salz“.
8 ☐ „Pfeffer“ hieß *petroselinum*. (4) ___

(36) ___

Checkliste zur Selbsteinschätzung

Folgende Kompetenzen hast du in den Bereichen Wortschatz, Grammatik, Text und Kultur in den Lektionen 1–20 ausgebildet. Überlege, wie kompetent du dich jeweils darin fühlst, wie sicher du bist:

● sehr sicher ● recht sicher ● eher unsicher ● unsicher

Ich kann ...

		sehr sicher	recht sicher	eher unsicher	unsicher
Vokabeln	... die wesentlichen Bedeutungen der Vokabeln nennen.	●	●	●	●
	... bei den Substantiven Genitiv Singular und Genus angeben.	●	●	●	●
	... bei den Verben die Stammformen angeben.	●	●	●	●
	... eine flektierte Form auf ihre Grundform zurückführen.	●	●	●	●
	... Lehnwörter, Fremdwörter und fremdsprachige Wörter auf die zugrunde liegende lateinische Vokabel zurückführen und ihre Bedeutung erklären.	●	●	●	●
	... Vokabeln zu Synonymen, Antonymen und Wortfamilien gruppieren und Wortfelder und Sachfelder zusammenstellen.	●	●	●	●
	... verschiedene Strategien und Prinzipien des Vokabellernens darstellen und die für mich passende Methode erläutern.	●	●	●	●

Ich kann ...

		sehr sicher	recht sicher	eher unsicher	unsicher
Grammatik	... die Grundelemente und Zeichen der Verben (Stamm, Person, Tempus) erkennen und benennen.	●	●	●	●
	... die Kasus-Zeichen der Nomen erkennen und deren Funktion benennen.	●	●	●	●
	... Wörter ihrer Wortart zuordnen.	●	●	●	●
	... Satzglieder im Satzzusammenhang bestimmen.	●	●	●	●
	... Gliedsätze anhand ihrer Einleitungswörter erkennen und in ihrer Sinnrichtung unterscheiden.	●	●	●	●
	... satzwertige Konstruktionen (AcI) analysieren und übersetzen.	●	●	●	●
	... Fachbegriffe der Grammatik verstehen und anwenden.	●	●	●	●

CURSUS

Arbeitsheft 1
mit Lösungen

Ausgabe A

Lösungen

Herausgegeben von Michael Hotz und
Prof. Dr. Friedrich Maier

Bearbeitet von Andrea Wilhelm

C.C.Buchner Verlag, Bamberg
J. Lindauer Verlag, München
Oldenbourg Schulbuchverlag, München

Lektion 1

1 A. sol (Sonne) – B. tacere (schweigen) – C. canis (Hund) – D. iacere (liegen) – E. asinus (Esel) – F. clamare (schreien) – G. stare (stehen)

2 Substantiv: Hauptwort – Subjekt: Satzgegenstand – Singular: Einzahl – Neutrum: sächlich – Infinitiv: Grundform – Genus: Geschlecht – Maskulinum: männlich – Verb: Tätigkeitswort – Prädikat: Satzaussage – Femininum: weiblich

3 Quintus vermisst seinen Esel. Das kann man an zwei Stellen aus dem Text erkennen: Z. 2: Quintus circumspectat, Z. 5: gaudet, nam ... asinus venit.
Der Esel taucht wieder auf. Das kann man in Z. 6 sehen: ... asinus venit.
Übersetzung:
1 Wo ist der Esel? 2 Quintus steht (da) und schaut sich um. Er ruft. 3 Der Esel kommt nicht. Auch der Hund schweigt. 4 Plötzlich bellt der Hund. 5 Quintus freut sich, denn es ist/herrscht keine Stille mehr 6 und der Esel kommt.

4
1. stimmt, z. B. kann *canis* übersetzt werden mit „der Hund“ oder „ein Hund“ oder „Hund“
2. stimmt, z. B. *tacet*. Das Person-Zeichen *-t* zeigt die 3. Person Singular an: er/sie/es
3. stimmt nicht, denn Eigennamen und Satzanfänge werden großgeschrieben.
4. stimmt nicht. Der Nom. Sg. eines Substantivs endet auf *-a* oder *-us* oder *-um*. Das *-t* ist das Person-Zeichen für die 3. Person Singular des Verbs.
5. stimmt, z. B. *tace-re*, *clama-re*
6. stimmt nicht. Ein Substantiv mit der Endung *-a* ist Femininum, z. B. *villa*. Ein Neutrum endet auf *-um*, z. B. *silentium*.
7. stimmt, z. B. *Asinus clamat*: *asinus* ist Nom. Sg.

5 Die Räume der Villa:
I: Peristyl – II: Atrium – III: Triklinium – IV: Tablinum

Lektion 2

1 ridere: l**a**chen – cito: schnel**l** – nam: d**e**nn – apportare: herbeitr**a**gen – ibi: dor**t** – apparere: er**s**cheinen – atque: **u**nd – certe: siche**r** – Lösungswörter: salutare: (be)grüßen

2 a Substantive im Plural (Plural-Zeichen ist unterstrichen): amicae, servi, dona, equi, villae, asini
b Verben im Plural (Plural-Zeichen ist unterstrichen): clamant, gaudent, salutant, veniunt, timent, sunt

3 (In Klammern ist das Anfangsfeld des Wortes angegeben.) auch, sogar: etiam (E 5) – von Weitem: procul (C 1) – denn: nam (B 3) – dort: ibi (B 4) – und, und auch: atque (F 1) – plötzlich: subito (H 3) – hier: hic (A 4) – da, dann: tum (E 4) – nun: nunc (E 6) – aber: sed (H 3) – schon: iam (J 6) – Wildschweinesser: Obelix, Asterix, Idefix

4 (In Klammern stehen Kombinationen, die der Form nach auch möglich sind, der Bedeutung nach aber nicht ganz so gut passen.)
1. Syrus servus properat. – Der Sklave Syrus beeilt sich. (clamat)
2. Quintus et Flavia rident. – Quintus und Flavia lachen. (tacent, apparent)
3. Equi apparent. – Die Pferde erscheinen. (tacent, rident)
4. Dona placent. – Die Geschenke gefallen.
5. Matrona clamat. – Die Frau schreit. (properat)
6. Servae tacent. – Die Sklavinnen schweigen. (rident, apparent)

5 IULIA (Ihr Name wird vom Familiennamen Iulius abgeleitet.)
CAESAR (Gaius ist der Vorname, Iulius der Familienname.)
MARCUS
TULLIA (Ihr Name wird vom Familiennamen Tullius abgeleitet.)
TULLIA MAIOR (maior bedeutet „die größere, ältere“, minor bedeutet „die kleinere, jüngere“.)
SYRUS (Der Name ist vom Ländernamen abgeleitet.)
Lösungswort: LUCIUS

6 Galla ist es langweilig, weil ihre Freunde nicht da sind. Sie wartet auf sie (exspectat), aber sie kommen nicht (amici non veniunt). – Die Sklavinnen sind es, auf die Galla gewartet hat. In Z. 7 heißt es: Galla ridet, nam servae appropinquant.
1 Die Sklavin Galla ist im Garten (befindet sich im Garten/hält sich im Garten auf).
2 Sie steht unter einem Baum und wartet, aber die Freunde kommen nicht.
3 Wo sind die Sklaven? Warum zögern die Sklavinnen zu erscheinen (lassen die Sklavinnen sich Zeit mit dem Erscheinen)?
4 Galla lacht nicht, denn Warten gefällt (ihr) nicht/macht (ihr) keinen Spaß.
5 Plötzlich ruft jemand: „Galla! Galla!“
6 Wer ist es/das? Bestimmt sind es die Freunde.
7 Jetzt lacht Galla, denn die Sklavinnen nähern sich.

Lektion 3

1 1. P. Sg.: rogo, gaudeo, sum – 2. P. Sg.: salutas, taces, es – 3. P. Sg.: clamat, venit, respondet – 1. P. Pl.: ridemus, navigamus, sumus – 2. P. Pl.: estis, timetis, vocatis – 3. P. Pl.: audiunt, iubent, properant

2 1. Marcus (S) amicam/amicas (O) exspectat (P). – 2. Nuntium eques (S) apportat (P). – 3. Serva (S) periculum (O) timet (P). – 4. Flavia (S) amicas/amicam (O) rogat (P). – 5. Amici (S) equos (O) audiunt (P). – 6. Familia (S) exspectat (P). – 7. Provinciam (O) administro (S + P). – 8. Eques (S) equum (O) vocat (P).

3 1 Roma – 2 Troia – 3 Carthago – 4 Syracusae – 5 Athenae – 6 Neapolis – 7 Londinium – 8 Delphi – 9 Alexandria – 10 Toletum – 11 Palmyra – 12 Vindobona

4 Mögliche Kombinationen:
1. Periculum timeo. – Ich fürchte mich vor der Gefahr.
2. Provinciam administrat. – Er verwaltet die/eine Provinz.
3. Donum apportatis. – Ihr bringt ein Geschenk (herbei/mit).
4. Amicum salutamus. – Wir begrüßen den/einen/unseren Freund.

5. Servos vocat. – Er/Sie ruft die Sklaven.
6. Lacrimas tenes. – Du hältst die Tränen zurück.
7. Nuntium rogant. – Sie fragen den Boten.

5 Hier findest du die Fehlerstellen korrigiert und eine Erklärung dazu:
Z. 2: M. Flavius Lepidus – Im Lateinischen wird der Eigenname dekliniert; er steht hier im Akkusativ.
Z. 3: Dann stehen die Pferde (bleiben die Pferde stehen). – Im Lateinischen ist die Reihenfolge der Wörter im Satz freier als im Deutschen; im Deutschen steht das Verb in einem Hauptsatz immer an zweiter Position.
Z. 4: ... grüßt den Reiter und fragt. – *et rogat* ist übersehen worden.
Z. 5: Was ist (los)? – Verwechslung von *quis* und *quid* und von *es* und *est*.
Z. 7: ... beeilt ihr euch nicht? – Person-Zeichen *-tis* für die 2. P. Pl. ist nicht beachtet.
Z. 8: ... dich, Marcus. – Im Lateinischen steht ein Name auf *-us* bei der Anrede im Vokativ auf *-e*.
Z. 9–10: Schau, schon kommen wir nach Rom – siehe Erklärung zu Z. 3
Z. 1: das Pferd – Kasus-Zeichen *-um* für Akk. Sg. ist nicht beachtet.
Z.12: und eilt ... – Person-Zeichen *-t* für die 3. P. Sg. ist nicht beachtet.

Lektion 4

1 Mögliche Kombinationen:
1. equus nuntii: das Pferd des Boten – 2. canes amicorum: die Hunde der Freunde – 3. dona amicarum: die Geschenke der Freundinnen – 4. simulacrum deae: das Bild der Göttin – 5. verba imperatoris: die Worte des Kaisers – 6. clamor hominum: das Geschrei der Menschen

2 1. intras: du trittst ein – 2. iubemus: wir befehlen – 3. timeo: ich fürchte – 4. rogant: sie fragen – 5. incitat: er treibt an – 6. navigamus: wir segeln – 7. audiunt: sie hören – 8. rogare: fragen – 9. sedeo: ich sitze – 10. cogitatis: ihr denkt

3 Folgende Personen/Personengruppen kommen vor: senatores: die Senatoren – amici senatorum: die Freunde der Senatoren – consul: der Konsul – dei et deae: die Götter und Göttinnen – homines: die Menschen, Leute – imperator: der Kaiser – populus: das Volk, das Publikum – nuntius: der Bote – außerdem: die beiden Sprecher (1. und 2. P. Sg.)
Übersetzung:
1/2/3/4 „Wer sitzt dort?" – „Dort sitzen die Senatoren und die Freunde der Senatoren. Auch den Konsul sehe ich. Nun kommt der Festzug." – „Was tragen/bringen sie?" – „Sie bringen Bilder der Götter und Göttinnen." – „Warum schweigen die Menschen jetzt?" – „Sie hören den Worten des Kaisers zu." – „Warum schreit das Volk?" – „Der Kaiser gibt das Zeichen für die Veranstaltung (den Beginn/Start der Veranstaltung)." – 5/6/7 „Wer tritt nun ein?" – „Nun tritt ein Bote ein. Er grüßt den Kaiser. Der Kaiser lacht, sicher gefallen [ihm] die Worte des Boten." – „Was hörst du?" – „Die Worte des Boten höre ich nicht, aber das Geschrei der Leute. Und du, hier sitzt du und fragst mich. Warum stehst du nicht?"

4 1. Volk – 2. geben – 3. antreiben – 4. denken – 5. Schrei – 6. lange – 7. Gott – 8. Mensch – 9. Bild – 10. Königin – 11. eintreten – 12. Zeichen – 13. endlich – 14. Liebe – 15. sehen; Lösungswort: homines

5 Folgende Fehler finden sich in dem Bericht:
Z. 2: Der Circus Maximus fasst <u>nicht 175 000, sondern 250 000 Zuschauer</u>.
Z. 4: Die Senatoren tragen <u>keine palla</u> – das ist ein Frauengewand –, <u>sondern eine *toga*</u>.
Z. 6: Bei der *pompa* werden <u>nicht Bilder von Kaisern, sondern von Göttern und Göttinnen</u> gezeigt.
Z. 9: Das Startzeichen wird <u>nicht mit einem roten, sondern einem weißen Tuch</u> gegeben.
Z.11: Die Wagen fahren <u>nicht zehn Runden, sondern sieben</u>.
Z.12: Der Circus Maximus ist <u>nicht 360 m lang, sondern 650 m</u>.

Lektion 5

1 Im Dativ stehen: avo (homo: Nom. Sg.) – iudici (periculi: Gen. Sg.) – amicae (amicae kann auch Gen. Sg. und Nom. Pl. sein; dona: Nom. Pl./Akk. Pl.) – senatoribus (servus: Nom. Sg.) – nuntiis (equi: Gen. Sg./Nom. Pl.) – deo (dea: Nom. Sg.) – patri (populi: Gen. Sg./Nom. Pl.) – servis (hominis: Gen. Sg.) – consuli (asini: Gen. Sg./ Nom. Pl.) – equitibus (equus: Nom. Sg.) – verbis (furis: Gen. Sg.) – fugae (fugae kann auch Gen. Sg. und Nom. Pl. sein; clamores: Nom. Pl./Akk. Pl.)

2 1. stimmt (Beweis im Text: Z. 1: Galla ... lacrimas dat. – Galla vergießt Tränen/weint.)
2. stimmt nicht (Die Herrin, *domina*, spricht nicht selbst.)
3. stimmt (Beweis im Text: Z. 7: Servi valde timent)
4. stimmt nicht (Galla sucht die verschwundenen Zuckerplätzchen, sie ist nicht der Dieb)
Übersetzung:
1 Die Sklavin Galla steht vor der Küche und vergießt Tränen/weint. 2 Während die Sklaven und Sklavinnen herbeieilen, kommt auch Marcus Flavius Lepidus näher. 3 Er fragt: „Was ist (los)? Warum weinst du?" 4 Galla antwortet: „Hier sind/gibt es Diebe, Herr! Ich suche die Zuckerplätzchen. 5 Ich muss mich beeilen, denn die Herrin erwartet mich. Aber die Zuckerplätzchen sind nicht hier!" 6 Flavius Lepidus [sagt]: „Wo sind die Zuckerplätzchen? Wer nennt [mir] den Dieb?" 7 Die Sklaven fürchten sich sehr, aber sie gehorchen dem Herrn nicht. 8 Plötzlich erscheint der Hund Hylax und trägt die Zuckerplätzchen herbei.

3 1. Fehler: *dominum* (Akk. Sg. von *dominus* m: der Herr) verwechselt mit *donum* (*donum* n: das Geschenk) – Der Sklave sucht den Herrn.
2. Fehler: *dum* (Subjunktion, leitet einen Gliedsatz ein, Bedeutung: während) verwechselt mit *tum* (Adverb, Bedeutung: da, dann, darauf, damals) – Während er den Brief liest, schweigt er.
3. Fehler: *eques* (*eques*, *equitis* m: der Reiter) verwechselt mit *equus* (*equus*, *equi* m: das Pferd) – In der Ferne erscheint ein/der Reiter.
4. Fehler: *iam* (Adverb, bedeutet: schon) verwechselt mit *nam* (Konjunktion, Bedeutung: denn, nämlich) – Schon eilen die Freunde herbei.

5. Fehler: *iacet* (*iacere*, *iaceo*: (da)liegen) verwechselt mit *tacet* (*tacere*, *taceo*: schweigen) – Dort liegt der Esel, er schläft.

4 a-Konjugation: intrare, cogitare (cogito: 1. P. Sg.; der Kennvokal -*a*- wird durch das Person-Zeichen -*o* verdrängt), appropinquare, parare (paro: 1. P. Sg.; der Kennvokal -*a*- wird durch das Person-Zeichen -*o* verdrängt), clamare
e-Konjugation: videre, solere, tacere, parere
i-Konjugation: venire, dormire, audire
Kons. Konjugation: ludere (*luditis:* 2. P. Pl.: Stamm: *lud*-, Sprechvokal: *i*, Person-Zeichen: -*tis*), quaerere: (*quaeris*: 2. P. Sg.: Stamm: *quaer*-, Sprechvokal: *i*, Person-Zeichen: -*s*), plaudere (*plaudo*: 1. P. Sg.: Stamm: *plaud*-, Person-Zeichen: -*o*), decedere (*decedunt*: 3. P. Pl.: Stamm: *deced*-, Sprechvokal: *u*, Person-Zeichen: -*nt*)

5 1. In der *curia* finden die Versammlungen des Senats statt: **C** – 2. Die *rostra* ist die Rednertribüne: **O** – 3. Der Tempel der Concordia ist der Tempel der Göttin, die das friedliche Zusammenleben schützt: **M** – 4. Im Unterbau des Saturn-Tempels wird der Staatsschatz aufbewahrt: **I** – 5. In den *tabernae* vor der *basilica Aemilia* kann man einkaufen: **T** – 6. Der Vesta-Tempel ist rund: **I** – 7. Im *tabularium* lagern Senatsbeschlüsse und Gesetzestexte: **U** – 8. In der *basilica Iulia* finden Gerichtsprozesse statt: **M**;
Lösungswort: Der runde Platz, auf dem sich die Römer ursprünglich versammelten: COMITIUM.

Lektion 6

1 Imperativ Singular: exspecta!: warte! – quaere!: suche! – responde!: antworte! – audi!: hör (zu)!
Imperativ Plural: defendite!: verteidigt! – videte!: seht! – pugnate!: kämpft!
Die restlichen Wörter: nauta: Nom. Sg. von nauta, -ae m: Seemann – valde: sehr (Adverb) – certe: sicher, gewiss (Adverb) – iudici: Dat. Sg. von iudex, iudicis m: Richter – verba: Nom. Pl./Akk. Pl. von verbum, -i n: Wort – multi: Nom. Pl. von multi, -ae, -a: viele – unde: woher (Fragewort) – sedes: 2. P. Sg. von sedere: sitzen

2 defendere: verteidigen – ubique: überall – mater: Mutter – pugnare: kämpfen – arma: Waffen – praecipitare: stürzen – nauta: Seemann – maestus: traurig – abducere: wegführen – secundus: günstig – terra: Erde – superare: besiegen – solus: allein – auxilium: Hilfe

3 Substantive: orator – navis – arma – amor – mater – clamor – signum
Adjektive: novus, -a, -um – magnus, -a, -um – laetus, -a, -um – multi, -ae, -a – alius, -a, -ud – secundus, -a, -um
Verben: dicere – pugnare – navigare – clamare

4 1 Aegyptus – 2 Africa – 3 Asia – 4 Dalmatia – 5 Gallia Narbonensis – 6 Hispania – 7 Iudaea – 8 Macedonia – 9 Mauretania – 10 Syria
siehe Karte auf Seite 5 oben

5 Z. 3:
Subito pirata clamat: „Non procul navem video."

Z. 6:
Tandem navi appropinquant, tum in navem transiliunt.

Z. 8:
Sed piratae nautas superant; multos homines necant,

Z. 9:
alios in navem piratarum abducunt, praedam sumunt.

Übersetzung:
1 Die Piraten segeln zur Insel Kreta. 2 Sie sind nicht fröhlich/gut gelaunt, denn die Sonne brennt und der Wind ist nicht günstig. 3 Plötzlich schreit ein Pirat: „Nicht weit entfernt sehe ich ein Schiff." 4 Sofort [sagt] der Kapitän der Piraten: „Hört, Freunde, nähert euch dem Schiff/segelt näher an das Schiff heran! Beeilt euch!" 5 Während der Kapitän die Seeleute antreibt, freuen sich die Piraten und denken an die Beute. 6 Schließlich nähern sie sich dem Schiff, dann springen sie auf das Schiff. 7 Groß ist die Aufregung und das Geschrei der Menschen: „Verteidigt das Schiff! Tötet die Piraten!" 8/9 Aber die Piraten besiegen die Seeleute, sie töten viele Menschen, sie führen einige weg/ab auf das Piratenschiff und sie nehmen die Beute. 10 Nun freuen sie sich sehr, denn die Beute ist groß.

Lektion 7

1 1. Quintus amicam spectat: Quintus betrachtet die Freundin/schaut die Freundin an. Quintus amicam exspectat: Quintus wartet auf die Freundin. 2. Servus donum portat: Der Sklave trägt ein/das Geschenk. Servus donum apportat: Der Sklave trägt das Geschenk herbei/bringt das Geschenk. 3. Amici cito currunt: Die Freunde laufen/rennen schnell. Amici cito accurunt: Die Freunde laufen/eilen schnell herbei.

2 Das sind die neun Fehler in Gaius' Erzählung:
Z. 2–4: Nicht der Bademeister passt auf die Kleidung auf, die die Badegäste im Umkleideraum ablegen, sondern Sklaven der Badegäste.
Z. 4–5: Das *tepidarium* ist der Warmbaderaum, darin ist es nicht 80 °C heiß (diese hohe Temperatur gibt es nur im *laconicum*).
Z. 6–7: Das *laconicum* ist die Schwitzkammer, die Sauna, dort gibt es keine kalte Wanne.
Z. 7: In den Thermen gibt es keine Duschen, nur die Möglichkeit, sich Wasser übergießen zu lassen.
Z. 8–9: In den Thermen trägt man Holzpantinen, „Latschen" aus Holz, da der Boden in einigen Räumen sehr heiß ist.
Z. 10–11: Das *frigidarium* ist der Kaltbaderaum, dort werden keine Kleider abgelegt.
Z. 11–12: Die *natatio* ist das Schwimmbecken, Bücher lesen kann man in der Bibliothek.
Z. 14–15: Der Eintritt in die Thermen kostet gar nichts oder nur einen geringen Betrag, den sich die meisten Römer ohne Probleme leisten können.
Z. 17–18: Die *palaestra* ist der Sportplatz, dort treibt man Gymnastik oder Ballspiele. Zum Schwimmen geht man in die *natatio*.

3 1. stimmt. Im Deutschen werden die Adverbialien durch Präpositionen und den zugehörigen Kasus ausgedrückt, z. B. *cum amica*: mit der Freundin (mit wem? Dativ); *sine amico*: ohne den Freund (ohne wen? Akkusativ)
2. stimmt, z. B. *villa*: Nom. und Abl. Sg.
3. stimmt
4. stimmt nicht, z. B. *consul*: Dat. Sg.: *consuli*, Abl. Sg. *consule*
5. stimmt, z. B. a-Dekl.: *amica*: Dat. und Abl. Pl.: *amicis*; o-Dekl.: *dominus*: Dat. und Abl. Pl.: *dominis*; Kons. Dekl.: Dat. und Abl. Pl.: *consulibus*
6. stimmt nicht (siehe unter 1.)

4 mögliche Überschriften: Num Quintus Flaviae donum dat?/Num amici Quinti Flaviae non placent?/Flavia Quintum et ornamenta amat/Verschiedene Interessen/Versteht Quintus Flavia?/Flavia möchte ein Geschenk
Übersetzung:
1 Quintus geht mit Flavia auf dem Forum Romanum spazieren/spaziert ... 2 Plötzlich freut er sich sehr und sagt: 3 „Schau, (liebe) Freundin, dort sind Gaius und Lucius. Sie spielen. Beeil dich!" 4 Während Quintus zu den Freunden läuft, zögert Flavia zu kommen/mitzukommen. 5 Lange steht sie vor einem Laden, denn sie betrachtet mit großem Vergnügen den Schmuck/die Schmuckstücke. 6 Da ruft Quintus wiederum: „Komm, Flavia! Was ist [los]? Hast du etwa Angst vor meinen Freunden?" 7 Die Freunde lachen, aber Flavia ist traurig. 8 Schließlich nähert sich Quintus Flavia ohne seine Freunde/geht Quintus ohne seine Freunde zu Flavia hin und fragt: 9 „Was betrachtest du in dem Laden? Gefallen dir die Ringe?" 10 Flavia schweigt. Deshalb führt/bringt Quintus seine Freundin schnell weg.

5 1. Titus ex templo currit: Titus läuft aus dem Tempel heraus. 2. Lydia ante templum sedet: Lydia sitzt vor dem Tempel. 3. Medicus in basilicam intrat: Der Arzt betritt die Basilika. 4. Pater ad oratorem properat: Der Vater eilt zum Redner (hin). 5. Iulia cum amica ambulat: Iulia spaziert mit ihrer Freundin. 6. Orator ex basilica venit: Der Redner kommt aus der Basilika heraus. 7. Senator sine mente iacet: Der Senator liegt ohne Bewusstsein/bewusstlos da.
Lösung: 8. Quintus in foro ludit: Quintus spielt auf dem Forum.

Lektion 8

1 verschiedene Möglichkeiten bei der Wahl der Adverbialien sind durch „/" angegeben
1. Quintus cum amicis/sine amica ambulat: Quintus geht mit seinen Freunden/ohne seine Freundin spazieren. – 2. Avus de fortuna cogitat: Der Großvater denkt über das Glück nach. – 3. Amici magna cum voluptate/in villa/cum amicis/sine amica ludunt: Die Freunde spielen mit großem Vergnügen/im Landhaus /mit den Freunden/ohne die Freundin. – 4. Homines prima luce conveniunt: Die Menschen kommen beim ersten Tageslicht (im Morgengrauen) zusammen. – 5. Orator magna voce/de vita dicit: Der Redner spricht mit lauter Stimme/über das Leben.

2 Übersetzung:
1 Quintus ist traurig, denn Flavia ist nicht mehr in der Stadt. Traurig sitzt er im Haus. 2 Nun ist er immer allein. Allein geht er auf dem Forum spazieren. 3 Ein/Sein Freund sagt zu Quintus: „Immer denkst du an die/deine schöne Flavia. 4 Aber sie segelt jetzt zur Insel Kreta. Warum suchst du [dir] nicht eine neue Freundin?" 5 Quintus antwortet mit lauter Stimme: „Ich liebe Flavia allein/als Einzige/nur/bloß Flavia." 6 Dann eilt er zum Tempel der Venus, der Göttin der Liebe, und ruft: 7 „Große Göttin, betrachte mich Traurigen! 8 Gib Flavia ein gutes Schicksal! Gib Hilfe / Hilf [ihr/uns]!"
Im lateinischen Text sind gekennzeichnet:
Adjektiv als Prädikatsnomen – Adjektiv als Attribut – Adjektiv als Praedicativum
Quintus maestus est, nam Flavia non iam in urbe est.
Maestus in villa sedet.
Nunc semper solus est. Solus in foro ambulat.
Amicus Quinto dicit: „Semper de Flavia bella cogitas. Sed Cretam in insulam nunc navigat. Cur non novam amicam quaeris?"
Quintus magna voce respondet: „Flaviam solam amo."
Tum ad templum Veneris, deae amoris, properat vocatque. „Magna dea, specta me maestum! Da Flaviae bonam fortunam! Da auxilium!"

3 1. Stimme – 2. gleich – 3. ganz – 4. zusammenkommen – 5. kaufen – 6. Beispiel – 7. Schicksal – 8. Stadt – 9. ausstellen – 10. zwischen – 11. heute – 12. geboren – 13. Sklaverei – 14. Licht – 15. Fehler – 16. Weisheit – 17. alle – 18. hoffen; Lösungswort: sapientia

4 Von der gesamten Bevölkerung Roms waren ca. fünfundzwanzig Prozent Sklaven. Sie stammten z. B. aus Griechenland oder aus Germanien und arbeiteten in Rom beispielsweise als Ärzte oder als Lehrer. Rechtlich gesehen waren Sklaven Sachen; ihre Herren konnten sie also verkaufen. Ein libertus blieb trotz seiner Freilassung in der Familie des patronus.

Lektion 9

1 a-Dekl.: serva, regina, vita, pugna
o-Dekl. m: filius, puer, amicus, populus, ager, medicus, vir, o-Dekl. n: exemplum, auxilium, arma, periculum
Kons. Dekl.: victor, pater, navis, vox, orator, mors, mater, homo, servitus, urbs, eques

2 pugna: Kampf – cedere: gehen – victor: Sieger – miser: elend – gladius: Schwert – asper: hart;
Lösungswörter: petere: bitten; angreifen; aufsuchen

3 Das Kolosseum wurde eingeweiht im Jahre 80 n. Chr. Es hat vier Stockwerke, eine Länge von 188 m, eine Breite von 156 m und eine Höhe von 57 m und insgesamt 76 Eingänge. Es fasste 50 000 Zuschauer. Die Statue vor dem Kolosseum hatte eine Höhe von 35 m.

4 1. P. Sg.: sum; ich bin – 2. P. Sg.: es; du bist – 3. P. Sg.: est; er/sie/es ist – 1. P. Pl.: sumus; wir sind – 2. P. Pl.: estis; ihr seid – 3. P. Pl.: sunt; sie sind
Die restlichen Wörter: Iam prima luce cuncti in forum conveniunt, nam spectaculum magnum sperant. – Schon kommen beim ersten Tageslicht (im Morgengrauen) alle auf dem Forum zusammen, denn sie erwarten ein großes Schauspiel.

5 Übersetzung:
1 mango/Der Sklavenhändler: Kommt, ihr Herren! Kauft schöne, hübsche germanische Sklavinnen/aus Germanien! 2 Rutilius: Ich suche einen kräftigen Sklaven! 3 mango: Komm mit mir, Herr! 4 Hier habe ich viele und kräftige griechische, gallische und afrikanische Sklaven/aus Griechenland, Gallien und Afrika. 5 Rutilius: Jungen sind es/Das sind Jungen, nicht kräftige Männer/keine kräftigen Männer. 6 mango: Sind sie denn nicht kräftig? Sie haben keinen Fehler und sie sind gesund. Schau, Herr! 7 Wie gut und kräftig Glaucon ist! 8 Rutilius: Was sagst du? Ich habe Augen. Glaucon ist nicht gesund. 9 Ich suche einen kräftigen und ausdauernden Sklaven. 10 Endlich sieht Rutilius einen kräftigen Sklaven und kauft [ihn].

6 pugna: pugnare: kämpfen – amor: amare: lieben – ardor: ardere: brennen – spectaculum: spectare: schauen – vox: vocare: rufen – navis: navigare: segeln – clamor: clamare: schreien

Lektion 10

1 Die fehlenden Formen sind *sumus* und *erat*.
Präsens: sum: ich bin – es: du bist – est: er/sie/es ist – sumus: wir sind – estis: ihr seid – sunt: sie sind
Imperfekt: eram: ich war – eras: du warst – erat: er/sie/es war – eramus: wir waren – eratis: ihr wart – erant: sie waren

2 1. Fehler: Verwechslung von Vokabel *sapientia* mit *humanitas*. – Wer übertrifft den Konsul an Weisheit?
2. Fehler: Tempus Imperfekt bei *sacrificabat* nicht beachtet. – Niemand opferte den Göttern Menschen (pflegte ... zu opfern)
3. Fehler: Vokabelbedeutung von *putare* + doppeltem Akkusativ nicht erkannt; Verwechslung von *te* und *tu*. – Warum hältst du dich immer noch für eine Herrin?
4. Fehler: Tempus Präsens bei *placent* nicht beachtet. – Die Sitten der Barbaren gefallen niemandem.
5. Fehler: Verwechslung von Vokabel *dignus* mit *durus*; Tempus Imperfekt bei *erat* nicht beachtet. – Die Arbeit war eines freien Mädchens nicht würdig.

3 2 [Galli] [homines robusti] [erant] [neque] [mortem] [horrebant].
3 [Neque] [Romanis] [cedebant], [etsi] [iam] [multi viri] [mortui erant].
4 [Magno cum clamore] [in pugnas] [properabant].
5 [Neque] [magna pericula] [timebant], [sed] [duram servitutem].

Übersetzung:
1 Lange (Zeit) kämpfte C. Iulius Caesar mit den Galliern. 2 Die gallischen Menschen/Menschen aus Gallien waren stark und scheuten vor dem Tod nicht zurück. 3 Und sie wichen auch nicht den Römern, auch wenn schon viele Männer gestorben waren. 4 Mit lautem Geschrei eilten sie in die Kämpfe. 5 Denn sie fürchteten nicht große Gefahren, sondern die harte Sklaverei.

4 Die Wörter, die eine Person bezeichnen (Wörter für weibliche Personen sind unterstrichen): amica – amicus – avus – domina – dominus – eques – femina – filius – fur – imperator – iudex – mater – matrona – medicus – nauta – nuntius – orator – pater – patronus – pirata – puella – puer – regina – reus – rex – serva – servus – victor – vir (nauta und pirata gehören zwar aufgrund ihrer Form zur a-Deklination, aber ihr natürliches Genus ist Maskulinum)

5 Substantiv: homo, mors, vir, lux, ager, urbs, aqua, mater, eques, rex, labor
Adjektiv: liber, humanus, miser, mortuus, dexter
Verb: putare, statuere, intrare, dormire, addere, dicere, imponere, laborare

6 Die Gallier heißen auch Kelten. Richter, Arzt, Priester usw. der Gallier ist der Druide. 387 v. Chr. griffen die Gallier diese Stadt an: Rom. Er unterwarf Gallien: Caesar. Ein berühmter Anführer der Gallier: Vercingetorix. Der Name Provence ist abgeleitet von provincia. – Lösungswort: MAJESTIX (das Oberhaupt des kleinen gallischen Dorfes von Asterix und Obelix)

Lektion 11

1 1. P. Sg.: laboravi: ich habe gearbeitet, peto: ich bitte, ich suche auf
2. P. Sg.: audis: du hörst, tacuisti: du hast geschwiegen
3. P. Sg.: sperat: er/sie/es hofft, invasit: er/sie/es ist eingedrungen, hat angegriffen
1. P. Pl.: risimus: wir haben gelacht, apparemus: wir erscheinen
2. P. Pl.: servatis: ihr rettet, traxistis: ihr habt gezogen
3. P. Pl.: miserunt: sie haben geschickt, student: sie bemühen sich

2 Α α = alpha – Β β = beta – Δ δ = delta – Θ ϑ = theta – Ι ι = iota – Λ λ = lambda – Ν ν = ny – Π π = pi – Ρ ρ = rho – Φ ϕ = phi – Χ χ = chi – Ω ω = omega

3 Die Verbformen und Pronomen sind im lateinischen Text markiert: 1. P. Sg./2. P. Sg.
Quintus: Salve, Aule. Quam gaudeo te videre! Sed dic mihi: Quid Romae agis? Cur in Creta non iam es?
Aulus: Creta mihi non iam placuit. Nihil iucundum ibi erat, vitam miseram vixi. Ego urbem et spectacula amo, sed ibi neque equi neque gladiatores[!] boni erant.
Quintus: Itaque desperavisti et ex insula decessisti. Quid pater dixit? Tene Romam misit?
Aulus: Patrem non rogavi. Nocte de villa cessi et navem quaesivi."
Quintus: Nonne nautae causam rogaverunt? Num te patre invito Romam portaverunt?
Aulus: Sic est, Quinte!
Übersetzung:
1 Quintus: Sei gegrüßt, Aulus. Wie (sehr) freue ich mich, dich zu sehen! 2 Aber sag mir: Was machst du in Rom? Wieso bist du nicht mehr auf Kreta? 3 Aulus: Kreta hat mir nicht gefallen. Ich habe ein unglückliches Leben dort geführt. 4 Ich liebe die Stadt und die Schauspiele, aber dort waren/gab es weder gute Pferde noch Gladiatoren/aber dort waren weder die Pferde noch die Gladiatoren gut. 5 Quintus: Deshalb bist du verzweifelt und bist von der Insel weggegangen. 6 Was hat dein Vater gesagt? Hat er dich nach Rom geschickt? 7 Aulus: (Meinen) Vater habe ich nicht gefragt. Ich bin in der Nacht vom Haus weggegangen und habe ein Schiff gesucht. 8 Quintus: Haben die Seeleute

denn nicht nach dem Grund gefragt? Haben sie dich etwa ohne Einverständnis des Vaters nach Rom gebracht? 9 Aulus: So ist es,/Stimmt genau, Quintus.

4

Präsens	Imperfekt	Perfekt
sum	eram	fui
es	eras	fuisti
est	erat	fuit
sumus	eramus	fuimus
estis	eratis	fuistis
sunt	erant	fuerunt

	Präsens	Präteritum	Perfekt	
ich	bin	war	bin	gewesen
du	bist	warst	bist	
er/sie/es	ist	war	ist	
wir	sind	waren	sind	
ihr	seid	wart	seid	
sie	sind	waren	sind	

5 Subjunktionen: dum: während – si: wenn – etsi: auch wenn – quod: weil – cum: als – quamquam: obwohl
Konjunktionen: atque: und, und auch – nam: denn – enim: denn, nämlich – et: und, auch – sed: aber, (je) doch – neque: und nicht, auch nicht, aber nicht

6 **a** Das Tempus aller Verbformen im Deutschen ist das Präteritum: Es war einmal ein Mädchen. Das Mädchen hatten alle lieb. Sehr lieb aber war es der Großmutter. Die Großmutter schenkte dem Mädchen ein rotes Käppchen. Mit dem Käppchen (geschmückt) gefiel es allen. Daher nannten alle das Mädchen Rotkäppchen.
b Die lateinischen Imperfektformen und ihre deutschen Entsprechungen: amabant: (sie) hatten lieb – erat: es war – placebat: es gefiel. Das Tempus der nicht markierten lateinischen Verbformen ist das Perfekt (donavit, vocaverunt). Erklärung: Im Lateinischen ist die Erzählzeit Perfekt, im Deutschen aber Präteritum. Mit dem Imperfekt im Lateinischen wird dagegen der (länger andauernde) Hintergrund für die Geschehnisse dargestellt.

Lektion 12

1 **a** Perfektstämme: abdux-, ars-, audiv-, cogitav-, dix-, edid-, eg-, mis-, mov-, paru-, plaus-, portav-, quaesiv-, respond-, tetig-; Präsensstämme: add-, ced-, col-, expon-, lud-, specta-, stude-, supera-, time-, trah-
b Sowohl Präsens als Perfekt können sein: descendimus – defendit – venit (*descendere*, *defendere* bilden das Perfekt ohne Veränderung, der Perfektstamm ist also gleich dem Präsensstamm. In der 3. P. Sg. und 1. P. Pl. sehen die Verbformen deshalb gleich aus, z. B.: Präsens: *defend-i-t* – Perfekt: *defend-it*; *venire* bildet das Perfekt durch Dehnung; man sieht den Unterschied in der 3. P. Sg. zwischen Präsens und Perfekt nicht: *veni-t* – *ven-it*, aber man hört ihn.)

2 **A** caput (Kopf), corpus (Körper), oculus (Auge), tergum (Rücken) – **B** lacrima (Träne), flere (weinen), maestus (traurig) – **C** sacrificare (opfern), ara (Altar), tangere (berühren); evtl. auch: numen (Gottheit), deus (Gott), dea (Göttin), oraculum (Orakelstätte)

3 Maskulinum: ager, frater, gladius, hospes, labor, mos, pater, patronus, pirata, puer, rex, vir
Femininum: ara, lux, mens, navis, nox, salus, servitus, terra, vita, vox
Neutrum: caput, corpus, exemplum, genus, saxum, signum, tergum, verbum

4 1. Diana – 2. Iuno – 3. Apollo – 4. Lorbeerkranz – 5. Ares – 6. Hermes – 7. Poseidon – 8. Hephaistos – 9. Handel – 10. Amor – 11. Zepter – 12. (senkrecht) Mercurius – 12. (waagrecht) Minerva – 13. Hera – 14. Zeus – 15. Pfau – 16. Aphrodite – 17. Artemis – Lösungswort: SIMULACRUM

5 Stellen, an denen man Quintus' Verzweiflung sehen kann: Quintus stellt viele Fragen, auf die er selbst keine Antwort weiß: mit *cur* eingeleitet in Z. 2, 3, 4, 6, 7, eingeleitet mit *quid* in Z. 6 und mit *nonne* in Z. 5.
Übersetzung:
1 Quintus dachte lange über die Geschichte nach: 2 „Deukalion und Pyrrha war es möglich, die Götter durch Bitten zu bewegen/zu beeinflussen. Warum habe ich bisher die Götter noch nicht beeinflusst (konnte ich ... nicht beeinflussen)? 3 Wieso hat Jupiter, obwohl er plante, das Menschengeschlecht/die Menschheit zu vernichten, seinen Sinn geändert? 4/5 Warum hat er Deukalion und Pyrrha allein/nur Deukalion und Pyrrha gerettet? Gewiss waren sie fromm und haben die Götter immer verehrt. Bin denn nicht auch ich fromm? Immer verehre ich die Götter und opfere ihnen. 6/7 Wieso erhören die Götter mich nicht? Was gefällt ihnen nicht? Deukalion und Pyrrha war es möglich, das Menschengeschlecht wiederherzustellen, warum ist es mir nicht möglich, Flavia zurückzubekommen?"

Lektion 13

1 G + L: Tibi nuntium miseramus, sed tu nobis non respondisti. Numquam nobiscum ludis. – Q: Ludere mihi non placet. Vos semper laeti fuistis, ego autem maestus fui. – G + L: Quid te sollicitat, cur nos non convenisti? – Q: Cura me sollicitabat, quod tam diu nihil de Flavia audivi. Nunc mihi scripsit: Auxilium a me petit. Vos rogo: Date mihi auxilium!
Übersetzung:
G + L: Wir hatten dir eine Nachricht geschickt, aber du hast uns nicht geantwortet. Nie spielst du mit uns. – Q: Spielen macht mir keinen Spaß. Ihr seid immer fröhlich/gut gelaunt gewesen, ich aber bin traurig gewesen. G + L: Was beunruhigt dich, warum hast du dich nicht mit uns getroffen? – Q: Mich beunruhigte die Sorge/Ich war unruhig vor Sorge, weil ich so lange nichts von Flavia gehört habe. Jetzt hat sie mir geschrieben: Sie bittet mich um Hilfe. Ich bitte euch: Helft mir!

2 Wachs: cera – Brief: epistula – Buchrolle: volumen – Griffel: stilus – Päckchen aus Wachstafeln: codex

3 miseramus → mittere: schicken – cognovit → cognoscere: erfahren, erkennen, kennenlernen – das → dare: geben – egerunt → agere: tun, handeln – miseros → miser: elend, unglücklich – oppresserat → opprimere: unterdrücken – vim → vis: Kraft, Gewalt – genere → genus: Geschlecht, Art – salutem → salus: Rettung, Wohl – tetigi → tangere: berühren – virum → vir: Mann – regum → rex: König

4 Übersetzung der Z. 3/4: ... ist hier gelegen/begraben/ liegt hier. Leb wohl, Aiacius.
Die Abkürzungen der lateinischen Inschrift bedeuten: P[ublii] f[ilius] Stel[latina tribu].

5 1. interrogavi – 2. cognoverant – 3. ambulabat – 4. fles – 5. putaveratis – 6. tacebant – 7. auditis – 8. laborabamus – 9. lego – 10. dedit – 11. scripsisti – 12. defenderamus

6 Die Stellen, an denen man erkennen kann, dass für Quintus etwas Positives geschieht, sind unterstrichen:
1 Quintus epistulam Flaviae iterum atque iterum legebat. 2/3 Quam laetus erat, quam gaudebat! Dei preces audiverant, fortunam amicae in bonum verterant. Flavia mortua non erat. Serva quidem erat, sed vivebat. 4 Tum Quintus magno cum gaudio ad bibliothecam! cucurrit, ubi pater sedebat et scribebat. 5 „Audi, pater! Nuntium bonum et iucundum tibi apporto: 6 Flavia adhuc vivit, dei eam servaverunt. Statim in Galliam properare debemus.“ 7 Tum Domitius: „Quid dicis, Quinte? ... O di magni! [...]
Übersetzung:
1 Quintus las Flavias Brief wieder und wieder. 2/3 Wie froh er war, wie er sich freute! Die Götter hatten die/seine Bitten erhört, sie hatten das Schicksal der/seiner Freundin ins Gute gewendet. Flavia war nicht tot. Sie war zwar Sklavin, aber sie lebte. 4 Dann lief Quintus mit großer Freude zur Bibliothek, wo sein Vater saß und schrieb. 5 „Hör (zu), Vater! Ich bringe dir eine gute und erfreuliche Nachricht: 6 Flavia lebt noch, die Götter haben sie gerettet. Wir müssen sofort nach Gallien eilen.“ 7 Darauf [antwortete] Domitius: „Was sagst du, Quintus? ... O, ihr großen Götter! Wir sagen euch Dank / danken euch.“

Lektion 14

1 Niemand glaubt, ... 1. dass Pferde Briefe schreiben. – 2. dass eine Königin auf den Feldern arbeitet. – 3. dass die Angeklagten den Richter verteidigen. – 4. dass die Götter die Menschen fürchten. – 5. dass Hunde Geschichten lesen. – 6. dass Piraten den Seeleuten Geschenke geben.

2 Aulus spricht in Z. 2, 3, 6, 7, 10.
Quintus spricht in Z. 4, 5, 8, 9, 11.
Übersetzung:
1 Quintus spazierte über das Forum, als sich plötzlich Aulus näherte und schon von Weitem rief: 2 A.: Sei gegrüßt, Quintus! 3 Wie freue ich mich, dass Flavia in Gallien Sklavin ist! 4 Q.: Was höre ich? 5 Du freust dich, dass meine Freundin in Sklaverei ist? 6 A.: Ich habe [es] nicht gut gesagt/habe mich nicht gut ausgedrückt. Ich freue mich, dass Flavia, auch wenn sie Sklavin ist, nicht tot ist. 7 So ist es möglich, sie freizukaufen.
8 Q.: In der Tat denken wir daran,/beabsichtigen wir, nach Gallien zu eilen/schnell nach Gallien zu fahren.
9 Aber sag mir: Woher weiß du, dass meine Freundin noch lebt? 10 A.: Weißt du denn nicht, dass Sulpicia in der ganzen Stadt allen Menschen von Flavias Schicksal erzählt? 11 Q.: Ihr großen Götter! Vater hat Mutter befohlen, von Flavia zu schweigen/nichts über Flavia zu sagen.

3 ager, arbor, aqua, asinus, caelum, mare, insula, mons, saxum, sol, terra, ventus, via/iter

4 1. Infinitiv: Lesen macht allen Menschen Spaß/gefällt allen Menschen. – 2. AcI: Wir glauben, dass viele Menschen mit Vergnügen lesen. – 3. AcI: Der Herr hat gehört, dass Sklaven auf dem Forum spielen. – 4. Infinitiv: Der Herr [sagt]: „Sklaven ist es nicht erlaubt, auf dem Forum zu spielen.“ – 5. AcI: Wir haben gehört, dass die Konsuln über das Forum spazieren. – 6. Infinitiv: Die Konsuln pflegen über das Forum zu spazieren/spazieren gewöhnlich(erweise) über das Forum.

5 Fehler im Reisebericht:
Z. 1–4: Die Reise muss länger als drei Tage gedauert haben, mindestens sieben Tage, eher acht bis bis neun Tage: Von Rom nach Brundisium sind es 540 km. Mit dem Reisewagen schafft man 60–75 km pro Tag.
Z. 4: Die *Via Claudia* führt nach Norden. Wenn man nach Brundisium reisen will, nimmt m an die *Via Appia*.
Z. 5–6: Raststationen findet man häufiger, nämlich ca. alle 25 Meilen.
Z. 7–8: Vom Konsul Appius Claudius Caecus ist nicht der Name der *Via Claudia* abgeleitet, sondern der der *Via Appia*, die er im Jahr 312 v. Chr. angelegt hat.

Lektion 15

1 1. meas: Ich habe meine Freundinnen gegrüßt, nicht die Freundinnen des/meines Bruders. – 2. nostro: Wir sprachen von unserem Vater, nicht vom Vater der Freunde. – 3. suis: Die Herrin legt/trägt ihren (eigenen) Sklavinnen/Sklaven die Arbeiten auf, nicht den Sklavinnen/Sklaven des Senators. – 4. tuis: Spaziertest du mit deinen Söhnen über das Forum, nicht mit den Söhnen des Richters? – 5. suum: Die Freunde haben ihren (eigenen) Anwalt gefragt, nicht den Anwalt des Großvaters. – 6. meos: Ich suche meine Pferde, nicht die Pferde des Reiters. – 7. nostra: Ihr müsst auf unsere Worte hören, nicht auf die Worte des Richters.

2 Zur Zeit des Kaisers Hadrian werden in den Theatern schon lange keine Tragödien oder Komödien mehr gezeigt. Stoffe aus der griechischen und römischen Sagenwelt werden von einem stummen Tänzer, dem Pantomimen, dargestellt. Dazu trägt ein Sänger oder ein Chor unter Orchesterbegleitung den meist griechischen Text vor. Der Pantomime spielt mit verschiedenen Masken alle Rollen, auch die von Frauen. Dabei stellt er die Handlung nur durch die Bewegungen seines Körpers, besonders seiner Hände, und mit seinen Augen dar. Diese sind durch weite Öffnungen in den Masken gut sichtbar.

3 Adjektive der a-/o-Deklination: novus, nova, novum – pulcher, pulchra, pulchrum – longus, longa, longum – miser, misera, miserum – pius, pia, pium
Adjektive der Konsonantischen Deklination: gravis, gravis, grave – facilis, facilis, facile – acer, acris, acre – mortalis, mortalis, mortale – omnis, omnis, omne – brevis, brevis, breve

4 1. felix: glücklich; gravis: schwer, ernst; pia: fromm – 2. mortua: tot, gestorben; dextra: rechts; misera: elend, unglücklich – 3. brevis: kurz; sinister: links; robustus: kräftig – 4. liber: frei; acer: heftig, hart, scharf; asper: hart, grob – 5. mortalis: sterblich; aequa: gleich, gerecht; alta: tief

5 Hier findest du die Fehlerstellen korrigiert und eine Erklärung dazu:

Z. 1/2: praebuerat, cesserat – Tempus-Zeichen für Plus-quamperfekt nicht beachtet: Aufidius hatte sich zugänglich gezeigt und hatte Domitius die Mädchen überlassen.

Z. 3: reduxerat – Vokabel verwechselt (reducere – cedere) und Tempus-Zeichen für Plusquamperfekt und Person-Zeichen für die 3. P. Sg. nicht beachtet: Dann hatte er alle in das Landhaus des Bruders zurückgeführt.

Z. 3–5: dum – Vokabel verwechselt (dum – tum) und dadurch Fehler im Satzbau (*dum* steht immer mit Präsens, bei der Übersetzung wird das Tempus verwendet, mit dem Gleichzeitigkeit zum Hauptsatz ausgedrückt wird, deshalb hier mit Präteritum); cogitabat – Tempus-Zeichen für Imperfekt nicht beachtet: Während sie sich dort setzten und sich dem Vergnügen des Schauspiels hingaben, dachte Quintus bei sich: ...

Z. 7: miseram – Vokabel verwechselt (miser, misera, miserum – mittere, mitto, misi): Flavia hat ein schweres Schicksal ausgehalten, lang hat sie ein elendes Leben geführt.

Z. 8/9: se tandem liberam esse – AcI nicht erkannt: Bestimmt freut sie sich sehr, dass sie endlich frei ist.

Z. 9: felix – Vokabel verwechselt (felix – pulcher): bestimmt ist niemand so glücklich wie Flavia.

Z.11: oculos – Kasus-Zeichen für Akk. Pl. nicht beachtet; vertit – Person-Zeichen für die 3. P. Sg. nicht beachtet: Dann wendete er seine Augen auf die Freundin.

Z.12: sensit – Perfektstamm nicht beachtet: Aber Flavia merkte nichts.

Z.14: spectare – exspectare: Vokabel verwechselt. ... die Pantomime betrachtet.

Lektion 16

1

Infinitiv Präsens	Infinitiv Perfekt	Infinitiv Präsens	Infinitiv Perfekt
promittere	promisisse	scribere	scripsisse
tenere	tenuisse	colere	coluisse
descendere	descendisse	ponere	posuisse
frangere	fregisse	tangere	tetigisse
movere	movisse	currere	cucurrisse
agere	egisse	cognoscere	cognovisse

2 1. Die Laren waren die Geister der Verstorbenen. – 2. Auguren beobachteten den Flug der Vögel. – 3. Der Genius wird oft als Schlange dargestellt. – 4. „Do, ut des“ bedeutet: „Ich gebe, damit du gibst.“ – 5. Der Innenraum des Tempels heißt *cella*. – 6. Haruspices untersuchen die Eingeweide von Opfertieren. Lösungssatz: Romani multos deos colunt. – Die Römer verehren viele Götter.

3 1. vinum: Wein – cibus: Speise – arbor: Baum – aqua: Wasser
2. liberare: befreien – ponere: setzen, stellen, legen – defendere: verteidigen, abwehren – auxilium: Hilfe
3. sperare: hoffen – narrare: erzählen – appellare: anreden, nennen – dicere: sagen, sprechen
4. gaudere: sich freuen – surgere: aufstehen – laetus: froh – delectare: sich erfreuen

4 1. Audivimus (Venerem deam Paridi iuveni Helenam promisisse): Wir haben gehört, dass die Göttin Venus dem jungen Mann Paris Helena versprochen hatte.
2. Omnes (eam omnium mortalium pulcherrimam feminam fuisse) sciunt: Alle wissen, dass sie die schönste Frau von allen Sterblichen gewesen ist.
3. (Paridem Spartam navigavisse) legimus: Wir haben gelesen/Wir lesen, dass Paris nach Sparta gesegelt ist/war.
4. Quis (eum Helenam secum Troiam abduxisse) narravit?: Wer hat erzählt, dass er Helena mit sich nach Troia entführt hatte?
5. Legi (Graecos cum Troianis diu pugnavisse): Ich habe gelesen, dass die Griechen lange mit den Troianern gekämpft hatten.
6. Pater pueris (Troianos equum donum Minervae putavisse et eum in oppidum traxisse) narrat: Der Vater erzählt den Jungen, dass die Troianer das Pferd für ein Geschenk an Minerva gehalten haben und es in die Stadt gezogen haben.

5 Caesar: Gaius Iulius Caesar (100–44 v. Chr.), römischer Politiker, Eroberer Galliens
Galli: die Gallier, Bewohner von Gallien
Mercurius: Merkur, der römische Gott des Handels, der Diebe und Reisen; Götterbote
Apollo: Apollo, der römische Gott des Lichtes, der Weissagung, der Heilkunst, der Wissenschaften und der Kunst
Mars: der römische Gott des Krieges
Übersetzung:
1/2/3/4 Bei Caesar lesen wir, dass das Volk der Gallier den Gott Merkur verehrt hat. Die Gallier haben viele Standbilder des Merkur aufgestellt, denn sie glaubten, dass der Gott Merkur alle Künste erfunden habe und dass er der Führer bei einer Reise sei (sie anführt, wenn sie unterwegs sind).
5/6/7/8 Sie pflegten auch Apollo und Mars zu opfern. Sie glaubten, dass Apollo schwere Krankheiten vertreibe und dass sie unter der Führung des Mars immer Sieger seien. Deshalb versprachen sie ihm Opfer, während sie ihre Kämpfe vorbereiteten.

Lektion 17

1 Futur mit „b“ – Verben der a- und e-Konjugation: parare, paro – studere, studeo – amare, amo – movere, moveo – orare, oro – tacere, taceo.
(Der Merkspruch „bo-/bi-/bu-Futur“ bedeutet: Futur-Zeichen + Person-Zeichen bzw. Sprechvokal: 1. P. Sg.: **-bo**, 2. P. Sg. bis 2. P. Pl.: **-bi-**, 3. P. Pl.: **-bu-**)
Futur mit „a/e“ – Verben der i- und Kons. Konjugation: legere, lego – petere, peto – vivere, vivo – sentire, sentio – scribere, scribo – aperire, aperio – ducere, duco – scire, scio
(Der Merkspruch „K**a**m**eeeee**l-Futur“ bedeutet: Futur-Zeichen 1. P. Sg.: **-a-**, 2. P. Sg. bis 3. P. Pl.: **-e-**)

2 1. convenit: er trifft, er passt - sacrificat: er opfert - explanat: er erklärt; Lepidus opfert den Göttern.
2. duxit: er zog - oravit: er bat/betete - spargit: er begießt; Er begießt den Genius mit Wein.
3. fave: sei gnädig - funde; vergieße - perturba: verwirre, beunruhige; Er spricht den Genius an: Sei den Wünschen gnädig!
4. exstruit: er errichtet - agit: er tut - delectat: er erfreut; Dann dankt er den Laren.
5. comperit: er erfährt - credit: er glaubt - tradit: er übergibt; Schließlich übergibt er die Speisen den Flammen/legt er die Speisen in die Flammen.

3 Z. 1 narravit: Perfekt - Z. 2 ducet: Futur - Z. 3 narrabit: Futur - Z. 3 intererat: Imperfekt - Z. 4 ambulabitis: Futur - Z. 5 narrabit: Futur - Z. 6 veniam: Futur - Z. 6 sustineo: Präsens - Z. 7 erit: Futur - Z. 8 aget: Futur - Z. 8 manebis: Futur - Z. 9 curabis: Futur - Z. 10: dabis: Futur
Übersetzung:
1 Aemilia: Quintus hat uns viel über Kaiser Trajan erzählt, 2 aber nicht alles. Heute wird Calvus uns zum Trajansforum führen 3 und das Übrige erzählen, denn er war beim Dakerkrieg dabei gewesen/hatte am Dakerkrieg teilgenommen. 4 Flavius: Mit wem werdet ihr durch die Stadt spazieren, Aemilia? 5 Wem wird Calvus vom Dakerkrieg erzählen? 6 Ich werde nicht mit euch kommen, weil ich die Sonne nicht ertrage/ertragen kann. 7 Quintus wird in der *basilica Iulia* sein, wo sein Vater den Prozess 8 für den Senator Rabirius führen wird. Und du, Flavia, wirst zu Hause bleiben, 9 weil du dich um das Abendessen kümmern wirst. 10 Sag, Aemilia: Wirst du denn Flavia nicht Hilfe leisten/helfen?

4 Im Text finden sich fünf Fehler: Das Trajansforum wurde nicht von Kaiser Augustus, sondern von Kaiser Trajan errichtet. Eingeweiht wurde das Trajansforum nicht im Jahr 12 n. Chr., sondern im Jahr 112 n. Chr. Die Trajanssäule ist nicht 30 m hoch, sondern fast 40 m. Auf dem spiralförmigen Fries sind nicht die Kriege gegen die Gallier, sondern gegen die Daker abgebildet. Oben auf der Säule stand nicht eine Statue des Mars, sondern des Kaisers Trajan.

5 1. Es fehlt: Präsens - narrat (narrabit: Futur, narravit: Perfekt, narraverat: Plusquamperfekt, narrabat: Imperfekt)
2. Es fehlt: Perfekt - audiverunt (audiunt: Präsens, audiebant: Imperfekt, audient: Futur, audiverant: Plusquamperfekt)
3. Es fehlt: Plusquamperfekt - egeram (ago: Präsens, egi: Perfekt, agebam: Imperfekt, agam: Futur)
4. Es fehlt: Futur - liberabis (liberabas: Imperfekt, liberas: Präsens, liberaveras: Plusquamperfekt, liberavisti: Perfekt)
5. Es fehlt: Imperfekt - flebatis (fleveratis: Plusquamperfekt, flebitis: Futur, fletis: Präsens, flevistis: Perfekt)
6. Es fehlt: Futur - mittemus (mittimus: Präsens, mittebamus: Imperfekt, misimus: Perfekt, miseramus: Plusquamperfekt)

6 sumus: wir sind - eram: ich war - fuerunt: sie sind gewesen - eritis: ihr werdet sein - fueras: du warst gewesen - erant: sie waren - sum: ich bin - fuisti: du bist gewesen - ero: ich werde sein - fueramus: wir waren gewesen - erunt: sie werden sein - erit: er/sie/es wird sein

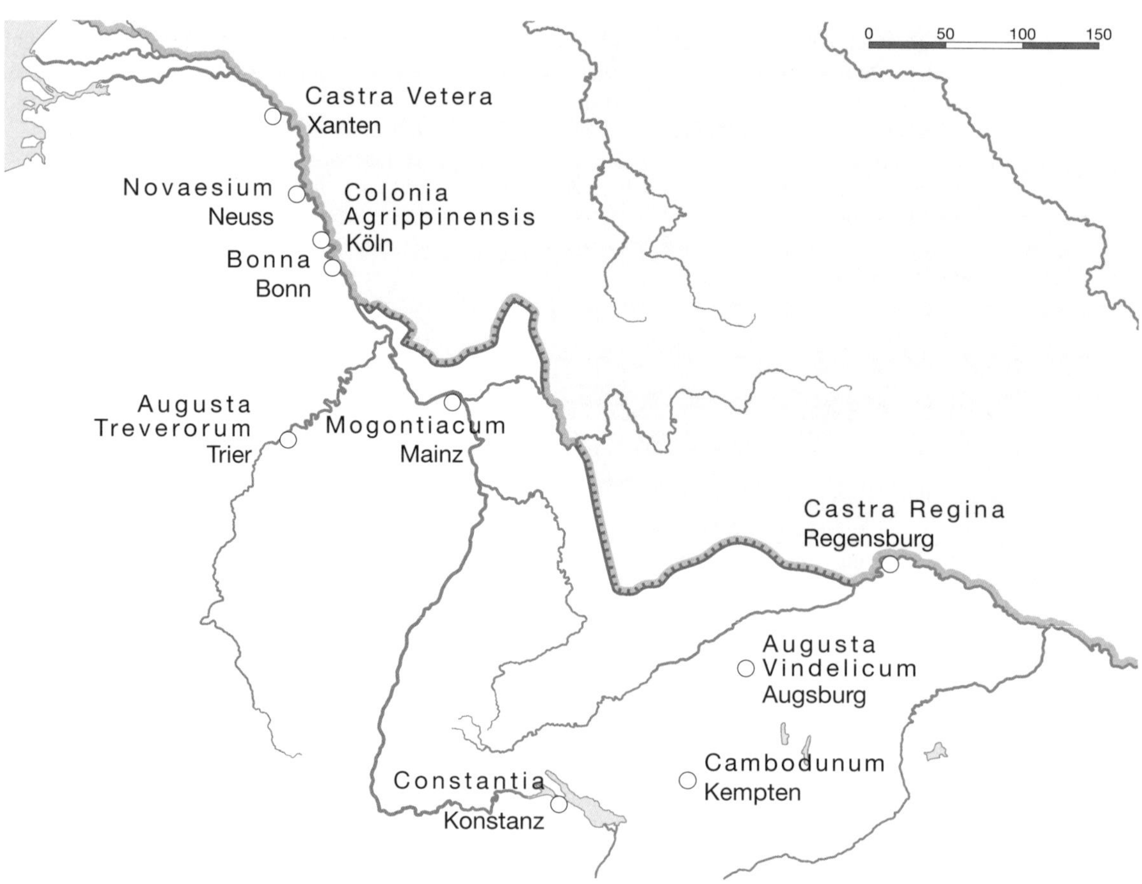

Lektion 18

1 Ich fürchte ...
2. F: die Diebe, die in das Haus eingedrungen sind.
3. A: das Geschrei, das ich auf dem Forum hören werde.
4. B: die Arbeiten, die der Herr mir aufgetragen hat.
5. C: das Schicksal, das die Götter bereitet haben.
6. E: die Piraten, denen es gefällt, Menschen zu töten.

2 Formen von *ire*:
ich gehe: eo – wir gehen: imus – ihr werdet gehen: ibitis – du gehst: is – wir waren gegangen: ieramus
Formen des Pronomens *is, ea, id*:
cum eo amico: mit diesem Freund – eum virum: diesen Mann – eas artes: diese Künste (Akk.) – in iis insulis: auf diesen Inseln – earum dearum: dieser Göttinnen

3 civitatum → civitas: Staat, Stamm, Gemeinschaft der Bürger – exstruxit → exstruere: errichten – transierunt → → transire: hinübergehen, überschreiten – temporibus → tempus: Zeit – sedibus → sedes: Sitz – sustulimus → tollere: hochheben, beseitigen – crevit → crescere: wachsen – vires → vis: Gewalt, Kraft, Menge

4 (siehe Karte Seite 10 unten)
Xanten: Castra Vetera – Neuss: Novaesium – Köln: Colonia Agrippinensis – Bonn: Bonna – Mainz: Mogontiacum – Trier: Augusta Treverorum – Konstanz: Constantia – Augsburg: Augusta Vindelicum – Regensburg: Castra Regina – Kempten: Cambodunum

5 1. stimmt (Z. 1/2) – 2. stimmt nicht (Z. 3/4) – 3. stimmt nicht (Z. 3/4) – 4. stimmt (Z. 2) – 5. stimmt (Z. 5)
Übersetzung:
Über die Germanen 1/2 Schon zu der Zeit, als Caesar die (Verwaltung der) Provinz Gallien innehatte, versuchten die Germanen den Rhein zu überqueren. Aber Caesar hinderte sie [daran]. 3/4 Denn ein Stamm Galliens, der an den Ufern des Rheins seine Wohnsitze hatte/siedelte, bat Caesar um Hilfe, weil die Germanen den Stamm überfallen hatten. 5 Deshalb schlug Caesar eine Brücke über den Rhein und führte römische Soldaten nach Germanien.

Lektion 19

1 Es sind verschiedene Kombinationen möglich.
Beispiele: 1. Consuli est villa pulchra: Der Konsul hat ein schönes Landhaus. – 2. Nobis magnus canis est: Wir haben einen großen Hund. – 3. Servae tres filiae sunt: Die Sklavin hat drei Töchter. – 4. Amicis duo fratres sunt: Die Freunde haben zwei Brüder.

2 Lateinische Wörter und Formen, an denen man erkennen kann, dass es sich um ein Gespräch handelt:
- Anrede (Vokativ): amicae, Cornelia, Flavia; Verbformen in der 1. P. Sg.: nescio, debeo, nolo, rogabo; 2. P. Sg.: scis, vis, dicis, laedes, ages; 2. P. Pl.: cogitavistis, scitis, censetis
- Imperative: audite (simula – in der Wiedergabe der Äußerung der Aemilia)
- Pronomina: Personal-Pronomen in der 1. P. Sg.: me, mihi; 2. P. Sg.: tu, te; 2. P. Pl.: vos; Possessiv-Pronomen in der 1. P. Sg.: mea
- Fragewörter: -ne, unde, quid, quis, cur

Übersetzung:
1 F: Freundinnen, habt ihr schon über eine Hochzeit / das Heiraten nachgedacht? 2 Cl: Mein Vater hat mich bereits für den Senator Cornelius vorbestimmt. 3 F: Woher weißt du, dass er der geeignete Mann (für dich) ist? 4/5 Cl: Ich weiß (es) nicht, aber ich muss dem Willen meines Vaters nachgeben/mich dem Willen meines Vaters beugen. Ich will den Mann, den mein Vater für mich (aus)gesucht hat, nicht zurückweisen. 6 F: Und du, Cornelia? Was willst du? 7 Co: Meine Mutter will, dass ich eine Vestalin/vestalische Jungfrau bin/werde. Aber dich wird sicherlich Quintus heiraten/ zur Frau nehmen. 8 F: Ihr wisst, (liebe) Freundinnen, dass ich Quintus liebe. Aber es scheint, dass Quintus mich nicht will. 9 Co: Was sagst du (da), Flavia? Wer weiß nicht/Jeder weiß (doch), dass Quintus dich aus der Sklaverei befreit hat. 10/11 F: Warum sagt Quintus nichts, warum fragt er mich nie? Aemilia hat mir einen Rat gegeben. Sie hat gesagt: Täusche vor, dass du einen anderen Freund hast./Tu so, als ob du einen anderen Freund hättest. Haltet ihr das für einen angemessenen/passenden und nützlichen Rat? 12 Cl: Ich weiß nicht. Vielleicht wirst du Quintus verletzen/kränken, wenn du so handelst/das tust (handeln/tun wirst). Dann wird er (sich) eine ande re Freundin suchen. 13/14 F: Hört: Mein Vater hat viele Gäste – unter ihnen auch Quintus – eingeladen, denn bald wird ein großes Abendessen sein/es ein großes Abendessen geben. Während dieses Abendessens werde ich Quintus fragen.

3 1. Es fehlt: Imperfekt – servabas (servavisti: Perfekt, servabis: Futur I, servaveris: Futur II, servas: Präsens, servaveras: Plusquamperfekt)
2. Es fehlt: Futur II – tradiderit (tradit: Präsens, tradiderat: Plusquamperfekt, tradet: Futur I, tradidit: Perfekt, tradebat: Imperfekt)
3. Es fehlt: Präsens – crescunt (creverant: Plusquamperfekt, creverint: Futur II, creverunt: Perfekt, crescebant: Imperfekt, crescent: Futur I)
4. Es fehlt: Futur I – redibimus (redimus: Präsens, redieramus: Plusquamperfekt, rediimus: Perfekt, redierimus: Futur II, redibamus: Imperfekt)
5. Es fehlt: Perfekt – senserunt (sentiunt: Präsens, sentiebant: Imperfekt, senserant: Plusquamperfekt, sentient: Futur I, senserint: Futur II)
6. Es fehlt: Futur II – sustulero (sustuli: Perfekt, tollebam: Imperfekt, tollo: Präsens, sustuleram: Plusquamperfekt, tollam: Futur I)
7. Es fehlt: Plusquamperfekt – egeratis (agetis: Futur I, egeritis: Futur II, egistis: Perfekt, agebatis: Imperfekt, agitis: Präsens)
8. Es fehlt: Futur I – statuam (statui: Perfekt, statuero: Futur II, statueram: Plusquamperfekt, statuebam: Imperfekt, statuo: Präsens)

4 Von Quintus könnten folgende Graffiti sein: Te amo. (Ich liebe dich.) – Tibi destinatus sum. (Ich bin für dich bestimmt.) – Animum meum perturbavisti. (Du hast mein Herz/mich durcheinandergebracht.) – Ego neminem aliam volo nisi ... (Ich möchte keine andere außer ...) – Quid de nuptiis cogitas? (Was denkst du über das Heiraten?/Was hältst du vom Heiraten?) – In Gallia fui – et tu, ubi fuisti? (Ich war in Gallien – und du, wo warst du?)
Die anderen Graffiti: Dominus noster clemens est. (Unser Herr ist mild.) – Pater virum idoneum mihi

quaesivit. (Vater hat einen geeigneten Mann für mich ausgesucht.) – Date mihi litteras! (Schreibt mir Briefe!) – Consul vos salutat. (Der Konsul grüßt euch.) – Lucius asinus est. (Lucius ist ein Esel.) – Nolo Cretam navigare. (Ich will nicht nach Kreta fahren.) – Quis me convenire vult? (Wer will sich mit mir treffen?) – Domina aspera est. (Die Herrin ist grob/hartherzig.) – Quis consilium utile nobis dat? (Wer gibt uns einen nützlichen Rat?) – Maesta sum. (Ich bin traurig.) – Laeti sumus. (Wir sind fröhlich.) – Vos omnes stulti estis. (Ihr seid alle doof.)

5 er ist: est – ich war: eram – sie sind: sunt – wir sind gewesen: fuimus – er wird sein: erit – ihr wart gewesen: fueratis

6 Bei der Hochzeit trägt die Braut eine safrangelbe palla und einen orangefarbenen Schleier. Die Ehe wird geschlossen mit den Worten „Ubi tu Gaius, ego Gaia." Die Hochzeitsfeier findet bei den Eltern der Braut statt. Von dort wird die Braut zum Haus ihres Ehemannes geführt. Unverheiratet bleiben die Priesterinnen der Vesta. Sie kümmern sich im Tempel um das heilige Feuer.

Lektion 20

1 An folgenden Stellen kann man sehen, dass diese Handlung vor der Abschiedsfeier spielt:
Z. 1–3: Mehrere Prädikate stehen im Futur: Cena magna erit, ... consul aderit, ... Gallae ... libertatem dabo, spectaculum ... spectabitis.
Z. 2: Das Prädikat im ubi-Satz (temporaler Gliedsatz) steht im Futur II: dimisero.
Z. 3: Flavius fordert Domitius auf: Venite ...!
Z. 8: Domitius spricht von der Teilnahme am Essen im Futur: ... cenae intererimus.
Übersetzung:
1/2/3 Flavius: Es wird ein großartiges Abendessen sein, nicht nur weil der Konsul Gabinus teilnehmen wird, sondern auch weil ich Galla, Flavias Sklavin, die Freiheit geben werde. Sobald ich sie (in die Freiheit) entlassen habe, werdet ihr ein Schauspiel sehen, das ihr noch nicht gesehen habt, Domitius. Kommt schon zur zehnten Stunde! 4/5 Domitius: Wir werden nicht kommen können, Flavius. Gerade habe ich einen Brief erhalten, aus dem ich erfahren habe, dass mein Bruder an einer schweren Krankheit leidet. Deshalb werde ich sofort mit dem Pferd nach Ostia gehen/nach Ostia reiten. 6 Flavius: Ich bedauere sehr, dass du nicht kommen kannst. Aber Sulpicia kann allein am Abendessen teilnehmen. 7/8 Domitius: Wenn ich von der Stadt weg bin/nicht in der Stadt bin, dann will Sulpicia lieber zu Hause bleiben, wie du weißt. Aber hör zu: Vielleicht werde ich rechtzeitig zurückkehren. Dann werden wir gewiss an dem Abendessen teilnehmen.

2 1. bevor – 2. fordern – 3. weggehen – 4. vier – 5. Monat – 6. neben – 7. Zeuge – 8. zehn – 9. nehmen – 10. Freiheit – 11. Eltern – 12. anfangen – 13. zweifeln – 14. anblicken – 15. annehmen – 16. erblicken – 17. trinken; Lösungswort: triclinium

3 a-Konjugation: dare, do – delectare, delecto – orare, oro – simulare, simulo – stare, sto – vocare, voco
e-Konjugation: carere, careo – exercere, exerceo – manere, maneo – movere, moveo – parere, pareo – studere, studeo – tacere, taceo
i-Konjugation: audire, audio – comperire, comperio – dormire, dormio – nescire, nescio – venire, venio
kurzvokalische i-Konjugation: capere, capio – conspicere, conspicio – cupere, cupio – incipere, incipio
Konsonantische Konjugation: agere, ago – bibere, bibo – currere, curro – defendere, defendo – mittere, mitto – petere, peto – statuere, statuo

4 Durch die Bedeutung der Wörter kannst du sehen, ob du sie an eine passende Stelle eingetragen hast. triclinium: Triklinium, Bezeichnung für das Esszimmer im antiken Haus – hospes: Gast/Gastgeber – servus: Sklave – serva: Sklavin – cena: Abendessen – cenare: essen – aqua: Wasser – vinum: Wein – bibere: trinken – cibus: Speise

Lektion 1

VOK a. stare – stehen; amica f – die Freundin; etiam – auch, sogar
b. 1 Die Sonne brennt nicht mehr. – 2 Wo liegt der Hund?
GR a. clamare: Infinitiv, villa: Nom. Sg., Neutrum: Genus; placet: 3. P. Sg., -t: Person-Zeichen, Canis (clamat): Subjekt; Singular: Numerus, -us: Kasus-Zeichen, (Asinus) tacet: Prädikat
b. cessat, venit, est, exspectat, stat, placet
T 1. Flavia schweigt. 2. Sie wartet. 3. Warten macht keinen Spaß. 4. Warum schreit/bellt der Hund nicht? 5. Warum kommt Quintus nicht? 6. Plötzlich schreit der Esel. 7. Was ist [los]? 8. Wer kommt?
K 1 Atrium – 2 Triklinium – 3 Tablinum – 4 Peristyl

Lektion 2

VOK a. properare – eilen; matrona f – die Frau; nam – denn
b. 1 Da/Dann lachen die Freunde. – 2 In der Ferne erscheinen die Sklavinnen.
GR a. equi, familiae, dona, matronae, servi
b. a-Konj. – salutant; i-Konj. – veniunt; e-Konj. – gaudent
T 1. Quintus freut sich, denn Flavia erscheint. 2. Auch Aulus und Marcus kommen. 3. Was bringen sie (mit/herbei)? 4. Bestimmt sind es Geschenke. 5. Nun nähern sich auch M. Flavius Lepidus und seine Frau Caecilia / kommen ... näher. 6. Quintus grüßt schon von Weitem: „Seid gegrüßt!“ 7. Und M. Flavius Lepidus [antwortet]: „Sei gegrüßt, Quintus!“
K 1 familias – 2 Vornamen – 3 Beinamen – 4 Caecilius – 5 Flavia minor – 6 tunica – 7 toga – 8 stola

Lektion 3

VOK a. parere, pareo – gehorchen; periculum n – die Gefahr; valde – sehr
b. 1 Der Kaiser hört die Nachricht/den Boten an. – 2 Du musst eine/die Provinz verwalten.
GR a. amicum/amicos, familiam/familias, donum/dona, canem/canes
b. rides – 2. P. Sg., rogamus – 1. P. Pl., audiunt – 3. P. Pl., voco – 1. P. Sg., iubet – 3. P. Sg., properatis – 2. P. Pl.
T 1. Flavia: „Ich freue mich nicht, denn es gefällt [mir] nicht, zur Insel Kreta zu segeln. 2. Warum müssen wir nach Kreta segeln? 3. Hier sind die/meine Freunde, hier ist Quintus. 4. Warum lacht ihr, Marcus und Aulus? 5. (Der) Kaiser erwartet Flavius Lepidus, mich erwartet er nicht.“
K 1 mögliche Antworten: Italien, Griechenland, Spanien, Portugal, Frankreich, Belgien, Luxemburg, Schweiz, Österreich, Türkei, Bulgarien, Rumänien, Serbien, Bosnien-Herzegowina, Albanien, Tunesien, (Teile von) Marokko, Algerien, Syrien, Ägypten, Israel, Niederlande (bis zum Rhein), Deutschland (bis Rhein/Donau) – 2 Trier – 3 Mauer, Kreuz, Spiegel

Lektion 4

VOK a. clamor, clamoris m – der Schrei; simulacrum, simulacri n – das Bild; diu – lange
b. 1 Endlich gibt er das/ein Zeichen. – 2 Dort sitzt der Großvater.
GR a. asinus, o-Dekl. (m); consul, Kons. Dekl.; verbum, o-Dekl. (n); insula, a-Dekl.
b. populi/populorum; deae/dearum; senatoris/senatorum; periculi/periculorum
T 1. Cornelia und Claudia sehen Flavia. 2. Cornelia: „Dort erscheint Flavia.“ 3. Darauf [sagt] Claudia: „Auch Flavias Freund sehe ich: 4. Quintus begrüßt die Senatoren und die Freunde der Senatoren.“ 5. Und Cornelia [sagt]: „Bestimmt begrüßt er auch die Göttin der Liebe.“ 6. Die Freundinnen lachen. 7. Dann schweigen sie / sind sie still, denn sie hören den Worten des Kaisers zu und warten auf die Bilder der Götter und Göttinnen.
K richtige Aussagen: 1, 4, 6, 7

Lektion 5

VOK a. legere, lego – lesen; iudex, iudicis m – der Richter; semper – immer
b. 1 Der Anwalt sucht den Dieb. – 2 Der Redner liest den/einen Brief des Vaters.
GR a. Dat. Sg.: avo, deae, patri; Dat. Pl.: senatoribus, amicis
b. sedere, sedeo, e-Konj.; sumere, sumo, Kons. Konj.; dicere, dico, Kons. Konj.; dormire, dormio, i-Konj.
T 1. Während die Richter den Worten des Anwalts zuhören, liest Quintus den Brief von Flavia. 2. Gaius sagt zu seinem Freund Lucius: „Warum schweigt Quintus immer?/sagt Quintus nie etwas?“ 4. Lucius antwortet: „Bestimmt schläft er.“ 5. Die Freunde lachen, aber Quintus gefallen die Worte seiner Freunde nicht.
K 1 curia – 2 via sacra – 3 basilica – 4 rostra

Lektion 6

VOK a. abducere, abduco – wegführen; pugnare, pugno – kämpfen; ubique – überall
b. 1 Die Winde sind günstig. – 2 Die Götter allein/Nur die Götter geben/leisten Hilfe/helfen.
GR a. terram novam: das neue Land/ein neues Land – patri laeto: dem fröhlichen Vater – multi homines: viele Menschen – navis magna: das große Schiff/ein großes Schiff
b. Imperativ Sg.: tace, quaere, da; Imperativ Pl.: intrate, defendite, venite
T 1. Aulus und Marcus spielen. 2. Aulus: „Ich bin ein großer/bedeutender Pirat. 3. Ich überfalle viele Schiffe und töte die Seeleute.“ 4. Marcus: „Und ich ergreife die Waffen (und) verteidige das Schiff.“ 5. Dann sehen sie Flavia. 6. Sie rufen: „Komm, Flavia! 7. Während du spielst, bist du nicht traurig.“ 8. Aber Flavia antwortet: „Schweigt!/Seid still!“
K 1 zu Schiff/mit dem Schiff – 2 April – 3 Hafen – 4 Handelsschiff

Lektion 7

VOK a. currere, curro - laufen; portare, porto - tragen, bringen; primo - zuerst
b. 1 Wir bleiben auf dem Forum. - 2 Sind sie denn nicht tot?

GR a. cum avo - mit dem Großvater; sine senatoribus - ohne die Senatoren; in aqua - im Wasser; ex nave - aus dem Schiff
b. 1 Prädikat: videt, Subjekt: mater, Objekt: medicum, Adverbiale: in foro, Attribut: consulis - 2 Prädikat: damus, Subjekt: -mus, 1. P. Pl., Objekt: amicis, dona, Adverbiale: (magna) cum voluptate, Attribut: magna

T 1. Quintus spaziert mit seinen Freunden auf dem Forum. 2. Plötzlich sehen sie einen Menschen: Er liegt ohne Bewusstsein/bewusstlos da. 3. Die Freunde sagen nichts, aber Quintus schreit: „Ruft einen Arzt!" 4. Da laufen viele Menschen herbei, stehen (herum) und schauen/gucken zu. 5. Quintus [sagt]: „Warum gebt/leistet ihr keine Hilfe/helft ihr nicht? Habt ihr etwa Angst?" 6. Endlich läuft der Arzt herbei/kommt der Arzt angelaufen.

K 1 palaestra - 2 caldarium - 3 frigidarium - 4 laconicum

Lektion 8

VOK a. sperare, spero - hoffen; exponere, expono - ausstellen; aussetzen; hodie - heute
b. 1 In der ganzen Stadt hören wir Stimmen. 2 Er/Sie denkt über das/sein/ihr Schicksal nach.

GR a. oculo/oculis; oratore/oratoribus
b. 1 Wann?/Zeit - 2 Wovon?/Trennung - 3 Worüber?/Grund - 4 Wo?/Ort

T 1. Beim ersten (Tages-)Licht/Bei Tagesanbruch/Im Morgengrauen läuft der Herr auf das Forum. 2. Dort grüßen viele Menschen den Herrn mit fröhlichen Rufen. 3. Der Herr kauft einen Sklaven, dann sagt er mit lauter Stimme zu seinen Freunden: 4. „Gefällt euch der neue/mein neuer Sklave? 5. Er ist kräftig, er hat keine Fehler." 6. Die Freunde antworten: 7. „Er gefällt [uns] nicht,/Nein, denn er ist nicht zur Sklaverei geboren. 8. Alle Menschen sind gleich."

K 1 vierte - 2 mögliche Antworten: Köche/Küchenhilfen, Bauarbeiter, Ärzte, Lehrer, Kindermädchen, Handwerker, Künstler - 3 Sachen - 4 Freigelassenen

Lektion 9

VOK a. agere, ago - tun, handeln; mors, mortis f - der Tod; etsi - auch wenn
b. 1 Das Leben ist hart und elend. - 2 Die Jungen gehen zum Feld.

GR a. Substantive: vir, viri (m); mater, matris (f); puer, pueri (m);
Adjektive: pulcher, pulchra, pulchrum; sinister, sinistra, sinistrum
b. Konjunktionen: et, atque/ac, neque, sed, nam, itaque; Subjunktionen: dum, quod, etsi
Durch Konjunktionen sind Hauptsätze miteinander verknüpft. Subjunktionen leiten Gliedsätze ein.

T 1. Publius spielt mit anderen Jungen. 2. Mit lauter Stimme schreit er: „Ich bin ein großer/bedeutender Gladiator. 4. Ich schaudere nicht/fühle kein Schaudern/erschrecke nicht, weil ich den Tod nicht fürchte. 5. Ich bin grob und hartherzig. 6. Andere Gladiatoren greife ich mit dem Schwert an, besiege und töte [sie]." 7. Während die Jungen spielen, erscheint Flavia. 8. Publius zögert zu kämpfen. 9. Er denkt: „Wie schön die neue Sklavin ist!"

K 1 der ursprüngliche Name - 2 Festzug (zu Beginn der Spiele) - 3 Jahr der Einweihung - 4 Länge

Lektion 10

VOK a. addere, addo - hinzufügen; mos, moris m - die Art, die Sitte; adhuc - noch; bis jetzt
b. 1 Die Arbeiten waren eines freien Mädchens nicht würdig. 2 Der König opferte den Göttern.

GR a. putabas, studebamus, erant, audiebam, cedebat, sumebatis
b. Das lateinische Imperfekt wird im Deutschen mit dem Präteritum wiedergegeben. Es drückt besonders aus: Zustände oder andauernde Vorgänge, Gewohnheiten und wiederholte Handlungen der Vergangenheit.

T 1. Galla denkt: „Ich bin nicht als Sklavin geboren. 2. Einst war ich ein freies Mädchen. 4. Ich arbeitete auf den Feldern, aber ich musste niemandem gehorchen. 5. Die Gallier waren frei, sie waren nicht frei von/sie waren nicht ohne Bildung. 6. Ist Flavia etwa als Herrin geboren? 7. In Rom legte sie den Sklaven/Sklavinnen Arbeiten auf/trug ... auf/gab ..., jetzt muss sie mit den anderen Sklaven/Sklavinnen das Abendessen vorbereiten."

K 1 Kelten - 2 Rom - 3 Caesar - 4 Vercingetorix

Lektion 11

VOK a. trahere, traho, traxi - ziehen; hospes, hospitis m - der Gast, der Gastgeber; sic - so
b. 1 Hört auf zu verzweifeln/verzweifelt zu sein! - 2 Wenn ich den Bruder frage, lehnt er ab.

GR a. rogav-, tacu-, dix-
b. vocavi, vocavisti, vocavit, vocavimus, vocavistis, vocaverunt

T 1. Quintus [ruft]: „Mutter, hast du schon gehört? 2. Der Vater von Flavia und Aulus sind in Rom. 3. Piraten haben das Schiff überfallen. 4. Obwohl die Seeleute das Schiff verteidigten, haben die Piraten gesiegt." 5. Die Mutter [fragt]: „Was ist mit Caecilia und Flavia? Leben sie?" 6. Quintus [antwortet]: „Das Schicksal von Flavia und ihrer Mutter/Flavias Schicksal und das ihrer Mutter kenne ich noch nicht, aber Vater hat schon einen Boten zu Flavius Lepidus geschickt. 7. Wir müssen Hilfe gewähren/anbieten."

K 1 mögliche Antworten: Theater, Philosophie, Medizin, Mathematik, Architektur, Dichtung, Malerei - 2 Athen/Rhodos - 3 Militär - 4 Alexandros = Alexander, geometria = Geometrie

Lektion 12

VOK **a.** movere, moveo, movi – bewegen; genus, generis n – das Geschlecht, die Art; per – durch (... hindurch)
b. 1 Immer habe ich die Gottheit verehrt. – 2 Hinter dem Altar haben wir einen Kopf gesehen.

GR **a.** numina: Nom./Akk. Pl. n; vita: Nom./Abl. Sg. n; capitis: Gen. Sg. n; filius: Nom. Sg. m; corpus: Nom./Akk. Sg. n; salutis: Gen. Sg. f
b. cucurr-, ven-, defend-, mis-

T 1. Quintus: „Während ich schlief, hörte ich Flavias Stimme. 2. Endlich habe ich die Freundin gesehen: 3. Sie saß auf einem Berg und weinte. 4. Dann stieg sie vom Berg herab. 5. Mit trauriger Stimme sagte sie: 6. ‚Ich habe dir eine Nachricht geschickt, aber du bist nicht gekommen. 7. Ich habe um Hilfe gebeten, aber niemand hat [mir] Hilfe gegeben/geholfen'. 8. Ich wollte die Freundin berühren/versuchte ... zu berühren – aber plötzlich verwandelten die Götter Flavias Körper in einen Stein!"

K 1 Aphrodite/Venus – 2 Hermes/Merkur – 3 Zeus/Iuppiter – 4 Athene/Minerva

Lektion 13

VOK **a.** cognoscere, cognosco, cognovi – erfahren, erkennen; sustinere, sustineo, sustinui – aushalten; tam – so
b. 1 Er hat die Bürger in die Heimat zurückgeführt. – 2 Auf hoher See sind/herrschen ungünstige Winde.

GR **a.** dich: te, ohne uns: sine nos, ihr: vos, mit mir: mecum
b. flev|era|m: ich hatte geweint, mis|era|tis: ihr hattet geschickt, tacu|era|t: er/sie/es hatte geschwiegen, eg|era|nt: sie hatten getan/gehandelt

T 1. Quintus freut sich, weil er endlich einen Brief von Flavia liest. 2. „Hör zu, Mutter! Flavia hat mir geschrieben. 3. Die Freundin lebt und erwartet mich! 4. Lange war es [ihr] nicht möglich zu schreiben, denn die Piraten hatten das Schiff überfallen und hatten die Menschen in die Sklaverei verkauft. 5. Flavia war (zusammen) mit Galla zuerst nach Asien, dann nach Gallien gekommen. 6. Jetzt erhofft sie Hilfe von uns."

K 1 epistula – 2 stilus – 3 volumen – 4 cursus publicus

Lektion 14

VOK **a.** tollere, tollo, sustuli – hochheben, beseitigen; ponere, pono, posui – setzen, stellen, legen; paratus – bereit
b. 1 Was fällt gerade vom Himmel? – 2 Er hat die Augen geöffnet und ist aufgestanden/öffnete ... und stand auf.

GR **a.** Subjektsakkusativ ist einfach unterstrichen, Prädikatsinfinitiv doppelt:
Quintus (<u>cunctos amicos</u> in foro <u>ludere</u>) scit. Lucius a Quinto (<u>amicam</u> in Gallia <u>esse</u>) cognovit.
b. Quintus weiß, dass alle [seine] Freunde auf dem Forum spielen. Lucius hat von Quintus erfahren, dass die Freundin in Gallien ist.

T 1. Quintus: „Auf dem Weg/Unterwegs hörte ich viele Stunden lang den Wind. 2. Weil ich sagte, dass die Nacht sich schon nähere/es schon bald Nacht werde, antwortete (mein) Vater, dass der Weg/die Reise nicht mehr weit/lang sei. 3. Plötzlich merkte ich, dass die Pferde stehen blieben, denn auf der ganzen Straße lagen Steine und Bäume. 4. (Mein) Vater stieg aus. 5. Da sah ich, dass der Sturm einen Baum zerbrach/umwarf und dass (mein) Vater auf den Weg fiel/stürzte. 6. Er lag ohne Bewusstsein/bewusstlos da, deshalb habe ich mich sehr gefürchtet/hatte große Angst."

K 1 militärische Zwecke – 2 Via Appia – 3 30–40 km – 4 Pferde wechseln/übernachten

Lektion 15

VOK **a.** iudicare, iudico, iudicavi – urteilen; tempus, temporis n – die Zeit; facilis – leicht
b. 1 Die Göttin hat dem glücklichen jungen Mann ein Geschenk versprochen.
2 Alle Menschen sind sterblich.

GR **a.** gladios acres – scharfe Schwerter, iter breve – der kurze Weg/die kurze Reise/den kurzen Weg / die kurze Reise
b. viam meam – meinen Weg, precibus nostris – unseren Bitten/durch unsere Bitten, cum rege vestro – mit eurem König, canes tuos – deine Hunde

T 1. Flavia [erzählt]: „Während ich für kurze Zeit Sklavin in Gallien war, war Aufidius Aridus mein Herr. 2. Er hat sich immer umgänglich/freundlich gezeigt, immer ist er gut mit seinen Sklaven umgegangen, niemals hat er uns mit heftigen/unfreundlichen Worten erschreckt. 3. Die/Seine Sklaven pflegten zu sagen/sagten gewöhnlich: ‚Im Reich unseres Herrn sind sogar die Sklaven glücklich – auch wenn wir vor unserer Königin schaudern.' 4. Nun beabsichtige ich, mich in Rom (auch) um meine Sklaven zu kümmern."

K 1 (griechischen und römischen) Sagenwelt – 2 Pantomimen – 3 Masken – 4 Bühnenwand

Lektion 16

VOK **a.** dimittere, dimitto, dimisi – entlassen, wegschicken; accedere, accedo, accessi – herantreten; domum – nach Hause
b. 1 Sei den Wünschen gnädig! – 2 Die Gäste erfreuen sich an den Speisen.

GR **a.** vocavisse, movisse, dixisse, defendisse
b. Lucius hat erzählt, dass Quintus seine Freundin aus Gallien zurückgebracht habe/hatte.
Flavia sagt, dass sie Sklavin in Gallien gewesen sei/ist.

T 1. Quintus: „Lucius hat mich getroffen und gesagt, dass er schon viel von der Reise gehört habe. 2. Er hat erzählt, dass wir Flavia mit Gewalt befreit hätten. 3. Ich habe ihm erzählt, dass der gallische Herr nicht schwierig/problematisch gewesen ist und Flavia sofort freigelassen hat. 4. Dann bin ich nach Hause geeilt, denn ich wusste, dass (meine) Mutter schon das Abendessen vorbereitet hatte. 5. Nach dem Essen hat (mein) Vater den Laren gedankt, weil unsere Reise durch ihre Hilfe gut ausgegangen ist."

K 1 cella - 2 Auguren - 3 Genius - 4 Laren

Lektion 17

VOK a. annus, anni m - das Jahr; ducere, duco, duxi - führen, ziehen; satis - genug
b. 1 Oft habe ich dich gebeten, dennoch hast du abgelehnt. - 2 Wir haben drei Brücken gesehen.

GR a. Quem: Akk. - Wen hast du auf dem Forum gesehen? Cui: Dat. - Wem habt ihr Hilfe gegeben/geholfen?
b. mittet: er/sie/es wird schicken; sentiam: ich werde merken/fühlen; flebunt: sie werden weinen; rogabimus: wir werden fragen

T 1. Aemilia: „Tiberius, wohin wirst du heute spazieren? 2. Wer wird mit dir kommen? 3. Wirst du wieder zu den Foren gehen?" 4. Tiberius: „So ist es/Stimmt, ich werde zu den Foren gehen, Aemilia. 5. Die Römer haben riesige Denkmäler zu Ehren der/ihrer Kaiser errichtet. 6. So hervorragende Werke werden wir in der Provinz niemals sehen. 7. Komm mit mir! 8. Ich werde dich durch die Stadt führen und dir dort die Denkmäler erklären."

K 1 Daker 2 Trajanssäule 3 Fries 4 Kaiser Trajan

Lektion 18

VOK a. prohibere, prohibeo, prohibui - abhalten, hindern; imperium, imperii n - der Befehl, die Herrschaft, das Reich; nisi - wenn nicht, außer
b. 1 Die Zahl der Menschen ist gewachsen/wuchs.
2 Dieser Stamm hatte keinen Wohnsitz/kein Siedlungsgebiet.

GR a. quam: Akk. Sg. f - Das Mädchen, das ich auf dem Form gesehen habe, war fröhlich.
quorum: Gen. Pl. m - Die Konsuln, deren Stimmen du hörst, sind gute Männer.
b. peribitis: 2. P. Pl. Fut. I - ihr werdet zugrunde gehen, rediit: 3. P. Sg. Perf. - er/sie/es ist zurückgekehrt

T 1. (Die) Mutter [fragt]: „Hallo, Quintus, du bist rechtzeitig zurückgekehrt. 2. Was haben die Gäste, die die Flavier eingeladen hatten, erzählt? 3. Quintus [antwortet]: „Ein Gast, dessen Stimme laut war, hat gesagt, dass Gefahren von den Germanen ausgehen. 4. Stämme, die jenseits/auf der anderen Seite der Donau ihre Wohnsitze/Siedlungs-gebiete (gehabt) hatten, sind (über die Donau) hinübergegangen und nicht zurückgekehrt. 5. Mutter, sag: Gibt es eine Gefahr?" 6. (Die) Mutter [sagt/erklärt]: „Die Germanen sind Freunde, die mit uns (zusammen) die Provinz verwalten."

K 1 mögliche Antworten: rechtwinkliges Straßensystem, forum, Verwaltungsgebäude, Tempel, amphitheatrum - 2 Limes - 3 Köln - 4 Regensburg

Lektion 19

VOK a. velle, volo, volui - wollen; ostendere, ostendo, ostendi - zeigen; ita - so
b. 1 Vielleicht ist der Rat nützlich. - 2 Ich wollte dich nicht verletzen.

GR a. amicis - Die Freunde haben drei Hunde, mihi - Ich habe einen Bruder.
b. prohibuero: ich werde gehindert haben, surrexerit: er/sie/es wird aufgestanden sein, defenderint: sie werden verteidigt haben, fueris: du wirst gewesen sein

T 1. Tiberius: „Ich habe gehört, dass Flavia ans Heiraten denkt." 2. Aemilia: „Hat Flavius etwa gesagt, dass er seine Tochter einem geeigneten Mann bestimmt hat/für seine Tochter einen geeigneten Mann ausgesucht hat? 3. Ich werde sofort zu ihm gehen. 4. Flavia will nämlich keinen anderen als Quintus. 5. Wenn ich Flavius bitte/bitten werde (Fut. II), wird er Flavias Willen nachgeben." 6. Tiberius: „Willst du etwa die Liebesgöttin sein? 7. Die Menschen haben nicht das Recht, die Liebe anzustacheln. 8. Wenn die Götter die Liebe wollen, dann dürfen sich die Menschen nicht weigern."

K mögliche Antworten: (Eine Priesterin der Göttin Vesta ...) muss 30 Jahre lang Priesterin sein/darf nicht heiraten/kümmert sich um das heilige Feuer im Vesta-Tempel/lernt zehn Jahre lang die heiligen Bräuche/übt zehn Jahre lang die heiligen Bräuche aus/bildet zehn Jahre lang junge Priesterinnen aus

Lektion 20

VOK a. capere, capio, cepi - nehmen, erobern, fassen; poscere, posco, poposci - fordern; decimus - der zehnte
b. 1 Der Richter blickte die Zeugen an. - 2 Bevor die Eltern (an)kommen, werde ich weggehen.

GR a. capi|e|t: er/sie/es wird nehmen, audi|a|m: ich werde hören, leg|i|s: du liest, cupi|mus: wir wünschen
b. interfuerat: 3. P. Sg. Plqupf. - er/sie/es hatte teilgenommen,
aderitis: 2. P. Pl. Fut. I - ihr werdet anwesend sein/helfen

T 1. Galla, die der Vater neben Flavia gesetzt hat, nimmt am Essen teil. 2. Sie nimmt die Speisen an, die die Sklavinnen bringen, sie trinkt, sie denkt bei sich: 3. „Immer habe ich [mir] die Freiheit gewünscht, endlich bin ich frei. 4. Auch Flavia, die vier Monate lang nicht Herrin sein konnte, ist nicht mehr in (der) Sklaverei. 5. Heute werden wir frei/als Freie weggehen. Flavia mit [ihrem] Quintus und ich ...?" 6. Sie zögert, dann sagt sie mit lauter Stimme: „Ich werde nach Gallien zurückkehren!" Und sie beginnt zu lachen.

K richtige Aussagen: 1, 5, 6, 7